ALAIN DECAUX

raconte

La Révolution française

aux enfants

Librairie Académique Perrin

Coordination : Arlette MOREAU

Dessins : Vanni TEALDI

Maquette et mise en page : Éditions de l'ALPHABET

Iconographie : Arlette MOREAU

Légendes : Cosette MILLET-BEX

© **Librairie Académique Perrin, 1988**
Dépôt Légal : décembre 1988
I.S.B.N. : 2-262-00591-5
Numéro d'éditeur : 850

Aux enfants qui me liront

Une *révolution,* c'est un changement brusque, une transformation violente.

En 1789, et dans les années qui ont suivi, vos ancêtres ont connu cela. Ils ont tout-à-coup décidé de conduire eux-mêmes les affaires de la France. Jusque-là le gouvernement n'appartenait qu'à un seul : le roi. Ils ont voulu que le peuple tout entier en devienne responsable.

Cela ne s'est pas fait en un jour, ni sans peine, ni sans mal. Mais cela s'est fait.

C'est l'histoire de ce grand espoir, de cette volonté que rien n'a arrêtée, de cette victoire enfin obtenue, que je vais vous raconter. Je ne vous cacherai rien : la grandeur et la gloire, mais aussi les erreurs et les fautes.

Vos parents ne sont pas tous du même avis sur la Révolution française. Pour les avoir parfois entendus parler de ce sujet brûlant, vous ne pouvez l'ignorer.

J'ai pensé qu'il était temps pour vous de découvrir le dossier de ce gigantesque épisode de notre histoire nationale. Afin que vous-même puissiez vous former une opinion. Pourquoi le droit de juger n'appartiendrait-il qu'aux seuls adultes ?

LA PRISE DE LA BASTILLE

Une rencontre prédestinée

*Nous voici à la veille de la révolution française. Le grand dessin de la page précédente plante le décor.
En médaillon, le couple royal : Louis XVI et sa femme, Marie-Antoinette. Ils se sont mariés en 1770, alors qu'ils n'avaient que seize et quinze ans. Ils ont eu une jeunesse facile, et rien ne les a préparés au tragique destin qui les attend. Mais dès 1788, des émeutes de plus en plus fréquentes, la multiplication des revendications et les problèmes financiers obligent le roi à convoquer les états généraux. Cet événement des plus importants, à l'origine de la révolution, est représenté à gauche. Du haut de sa chaire, un prêtre annonce la nouvelle à ses paroissiens réunis pour la messe : « Notre bon roi désire convoquer ses états. » Mais au lieu de remédier à la crise, la réunion des états généraux est suivie d'un mouvement de révolte. Le 14 juillet 1789, une foule immense — 40 à 50 000 personnes — s'attaque à la forteresse de la Bastille, défendue par une trentaine de soldats suisses et quatre-vingts invalides. Au centre du dessin, on peut voir des gardes françaises qui se sont ralliées aux émeutiers, traînant avec eux cinq canons. À droite, en gros plan, l'un d'entre eux distribue des fusils. À cinq heures, la Bastille est prise. Dès lors, cette victoire symbolise la conquête de la liberté. Le 14 juillet deviendra une fête nationale près de cent ans plus tard, en 1880.*

Sous la pluie battante, quatre cents enfants attendent. Des petits et des grands. Là, rue Saint-Jacques à Paris, devant le collège Louis-le-Grand dont ils sont élèves, l'averse transperce leurs habits, réduit en ficelles les jabots attachés à leurs cous, plaque les culottes sur leurs cuisses, tache de boue leurs bas blancs et emplit sournoisement leurs chaussures à boucles.

Malgré les trombes d'eau qui s'abattent sur leur tête, ces enfants ne bougent pas. Sont-ils des héros, comme ces Romains et ces Spartiates dont tous les jours on leur rebat les oreilles ? Non. Les professeurs, des abbés en soutane, veillent : un seul geste et l'acte d'indiscipline vaudrait au coupable une punition dont il se souviendrait longtemps.

Parmi les grands élèves, un garçon de dix-sept ans, pas très haut pour son âge, plutôt malingre, se désole parce que ses cheveux, frisés et poudrés le matin même, pendent lamentablement sur ses oreilles. Il est très pauvre. Il n'a pu entrer à Louis-le-Grand, six ans plus tôt, que grâce à une bourse. Mais quand il reçoit quelques sous d'Arras, sa ville natale, c'est pour aller chez le perruquier : le seul luxe de cet adolescent triste et solitaire

Mais que serre-t-il ainsi contre son cœur ? Que cherche-t-il si ardemment à préserver de la pluie ? Une liasse de papiers. La vérité est que ce collégien est le meilleur élève de Louis-le-Grand. On l'a choisi pour lire un compliment en vers à l'adresse de celui qu'on attend avec fièvre : le roi Louis XVI.

Si vous aviez vécu à cette époque, vous auriez pu être l'un de ces enfants aux vêtements trempés de pluie. Ne croyez pas que 1775 soit une date si éloignée de nous. Vous n'êtes séparé d'un ancêtre qui a vécu sous Louis XVI — et qui a donc traversé la Révolution — que par cinq ou six générations : le grand-père du grand-père de votre grand-père. Comme vous avez pris l'habitude de le dire : *ce n'est pas terrible.*

Le roi et le monstre

Si vous vous étiez trouvé ce jour-là devant Louis-le-Grand, je vous jure que votre cœur aurait battu très fort. Car, pour les Français, petits et grands, le seul mot de *roi* est, alors, littéralement magique. Voir passer le roi représente pour des millions de gens un rêve quasi inaccessible. Or, ce jour-là, devant Louis-le-Grand, le roi *va s'arrêter*!

**LOUIS XVI
EN HABIT DE SACRE**

Le roi, alors âgé de 21 ans, porte le manteau d'hermine et de velours rebrodé de fleurs de lys d'or. La fleur de lys est l'emblème de la royauté française, ainsi que la grande couronne royale, posée à droite. Le sceptre d'or symbolise le commandement ; la couleur blanche, la royauté ; la couleur violette du manteau, le deuil, car le précédent roi vient de mourir. Enfin, le roi porte à la main gauche une alliance représentant son union avec le royaume.

Tous les élèves du collège le savent : le jeune Louis XVI — il n'a que vingt ans et règne depuis un an — arrive de Reims où, dans la cathédrale, a été répandue sur sa tête et sur son corps cette huile appelée le *chrème* depuis que saint Rémi l'a, raconte-t-on, reçue du ciel au baptême de Clovis. C'est le *sacre*.

Revenant de cette cérémonie que l'on réserve à chaque souverain au début de son règne et qui fait de lui le représentant de Dieu sur terre — on dit qu'il est roi *de droit divin* — Louis XVI a fait son entrée dans Paris le matin même. Sous la pluie, car elle tombe depuis l'aube et ne s'est pas arrêtée depuis, il est allé à Notre-Dame saluer le clergé. Il est remonté en voiture et, par la rue Saint-Jacques, s'est mis en devoir de gagner l'église Sainte-Geneviève, en haut de la montagne du même nom.

7

Marie-Antoinette est autrichienne, née à Vienne, et fille d'empereur. Elle est jeune, insouciante, jolie et très coquette. En France, où elle est venue se marier, elle souffre de « l'étiquette » très stricte de la cour. Elle se met alors en quête de toutes les distractions, comme le prouvent ses toilettes recherchées. Mais ses excès de coquetterie lui attireront progressivement une fâcheuse réputation de « dépensière ».

Elle grimpe dur, cette rue Saint-Jacques. La pluie en a rendu les pavés glissants. Les chevaux, dont les fers dérapent, ont beaucoup de mal à tirer le lourd carrosse royal autour duquel cavalcadent les gardes du corps.

De chaque côté de la chaussée, la foule hurle sa joie :

— Vive le roi ! Vive la reine !

De ce jeune roi, on entrevoit, derrière la buée qui tapisse les vitres, le visage rond, un peu trop gras. À côté de lui on devine la silhouette fine et altière de sa jeune épouse : la reine Marie-Antoinette, dix-huit ans.

Devant le collège, professeurs et élèves n'en mènent pas large en voyant apparaître le carrosse. L'élève chargé du discours se raidit. Je parie qu'il a le trac. Et vous, l'auriez-vous eu ?

Comme il a été annoncé, la voiture royale s'arrête. Louis XVI va-t-il en descendre? Non. Il pleut trop, vraiment. L'adolescent déploie ses papiers et, ainsi qu'il l'a longuement répété, tombe à genoux juste sous le marche-pied du carrosse, dans la boue. Il se met à lire. Sa voix est un peu aigre. Il vante les vertus du jeune roi, celles de la reine. Il jure que ce qui les attend tous les deux, c'est un « règne de bonheur ».

Sous la pluie qui frappe bruyamment le toit de la berline, Louis XVI a-t-il entendu un seul mot de ce discours? Le « principal » du collège — c'est-à-dire le directeur — racontera plus tard, après la Révolution, que le roi, avant de donner l'ordre de départ, « daigna abaisser un regard de bonté sur le jeune monstre qui, élevé dans sa maison, devait un jour lui porter le premier coup de poignard ».

Le jeune monstre? Sûrement vous vous interrogez sur le sens d'un tel mot — si grave! — appliqué à un collégien. Voici l'explication : cet élève-là se nomme Maximilien Robespierre.

Un jour, il sera élu député par les habitants d'Arras. Il se lancera à corps perdu dans les combats de la Révolution. Il sera de ceux qui demanderont la tête de Louis XVI. Il l'obtiendra.

Un Robespierre de dix-sept ans à genoux devant un Louis XVI de vingt ans, l'image est de celles qui permettent de mieux comprendre ce grand drame — terrible et exaltant à la fois — dont je vais vous raconter l'histoire.

Ce jeune homme élégant aux cheveux poudrés de blanc s'appelle Maximilien de Robespierre. Né à Arras, il est venu faire ses études à Paris pour devenir avocat. De royaliste, comme tous les Français d'avant 1789, il va devenir l'un des plus ardents adversaires de la monarchie. Surnommé « l'incorruptible », c'est-à-dire un homme qu'on ne peut ni acheter, ni faire changer d'avis, il finira sur l'échafaud... Comme le roi.

Une petite bourgeoise à Versailles

Sous le soleil encore chaud de ce jour de septembre, Manon vit le plus bel instant de sa vie : elle vient de franchir les grilles dorées qui, de la place d'Armes, donnent accès à la cour du château de Versailles.

Bouche bée, transportée d'admiration, elle s'immobilise, son bagage à la main, sur les pavés qui datent de Louis XIV. Elle ressent ce choc que vous avez éprouvé ou éprouverez vous-même quand vous découvrirez ce chef-d'œuvre d'architecture, reflet en pierre de la grandeur royale.

Elle a vingt ans, Manon. Elle est fort jolie. C'est elle qui le dit et pourquoi ne le croirions-nous pas?

Elle vient de Paris où son père, graveur, tient boutique quai de l'Horloge. M. Phlipon est l'un de ces artisans, ni riche ni

Fastes et charité

Louis XVI, comme tous ses ancêtres, a pour devoir de pratiquer la charité. De plus Louis XVI est d'un naturel bon et pacifique. On le voit, ici, pendant l'hiver de 1785 visiter des paysans auxquels il donne l'aumône. Ses bottes montantes et la cravache qu'il tient à la main montrent qu'il vient à peine de descendre de cheval.

pauvre, comme il y en a tant dans cette capitale de 650 000 habitants, la deuxième ville du monde après Londres.

D'emblée nous nous posons la question : par quel miracle Manon, fille de boutiquier, va-t-elle pouvoir habiter le palais des rois ?

C'est tout simple. Une femme de chambre, Mme Legrand, prenant un congé, a offert de prêter son appartement pour huit jours à Mme Phlipon, à sa fille, à un écclésiastique et une vieille fille noble de leurs amis. Mme Legrand ne dispose que de deux pièces sous les toits, mais vous pensez bien qu'on a sauté sur l'occasion.

L'étrange de l'affaire, c'est qu'il est alors possible à n'importe quel Français de pénétrer dans la résidence d'un roi dont le pouvoir est si grand qu'on le dit *absolu*.

Trois jours par semaine, chacun peut circuler librement dans le palais, à condition pour les hommes de porter épée. Ceux qui n'en possèdent pas peuvent même en louer à l'entrée !

Voilà Manon, sa mère, l'abbé et la vieille fille installés chez Mme Legrand. Les deux pièces ne sont guère confortables. Elles donnent sur un couloir obscur empuanti par l'odeur des « lieux d'aisance » : c'est ainsi que l'on appelle les toilettes. Quelle importance ? On est à Versailles. Les deux pièces, vous pensez bien que Manon n'y sera que pour dormir — et encore ! Le reste du temps, elle se remplit les yeux d'un spectacle sans égal : celui qu'offrent, au milieu de la cour la plus éclatante du monde, le roi et la reine.

Un roi timide et savant, et une très belle reine

Probablement Manon ne l'imaginait-elle pas ainsi, ce roi de son âge : il marche en se dandinant, ce qui veut dire que chacun de ses pas est accompagné d'un mouvement de son torse vers la droite ou la gauche. Manon, qui est singulièrement futée, a dû bien vite trouver l'explication de cette allure disgracieuse : Louis XVI est affligé d'une timidité presque maladive. Quand on lui présente une personne qu'il ne connaît pas, il ne sait que lui dire. Alors il se tait. Qui plus est, il est myope et voit mal ceux qui l'entourent, ce qui accentue encore sa gaucherie.

Le devoir d'un roi, à Versailles, est de vivre en société. Or, en société, Louis XVI s'ennuie. Comme il est habile de ses mains, il se réfugie dans l'atelier de serrurerie qu'il a fait aménager au palais. Au fil des années il deviendra un mécanicien de première force. Mais nombreux seront à la cour ceux qui chuchoteront :

— Faut-il vraiment qu'un roi soit serrurier ?

Autre évasion : la chasse. Presque chaque jour, Manon le voit passer, à cheval, précédé de ses piqueurs et de ses chiens, de courtisans toujours prêts à s'entretuer pour obtenir l'honneur de l'accompagner. À cheval, il semble qu'il oublie sa timidité, ses faiblesses, son indécision. D'ailleurs, il se livre à de véritables massacres. De 1774 à 1787, il va tuer 186 851 pièces de gibier, et il forcera 1 275 cerfs ! C'est la chasse à courre qu'il préfère. Poursuivre un cerf représente pour lui une joie profonde. Comme si ce prince dont la bonté émeut, pouvait enfin échapper au poids accablant d'un pouvoir pour lequel il sent qu'il n'est pas fait.

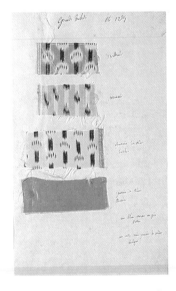

Chaque matin, on apporte à la jeune reine Marie-Antoinette un livre sur lequel sont collés des échantillons de tissu de chacune de ses robes. Elle marque d'une épingle celle qu'elle choisit de porter dans la journée. Voici l'une des pages du livre de l'année 1782 qui comporte en tout 78 échantillons.

Versailles : le miroir de la cour

Il est loin pourtant d'être stupide, ainsi que le comte de Provence et le comte d'Artois, ses frères, le laissent trop souvent entendre et comme parfois le confirme sa femme qui l'appelle « le pauvre homme ». Il a bénéficié d'une excellente éducation et il est l'un des souverains les plus cultivés de son temps. Quand il inaugurera Cherbourg, en 1786, il stupéfiera les marins par sa science en géographie et en hydrographie. Il passe de longues heures dans sa bibliothèque de 5 000 volumes. Un grand journaliste de l'époque, Mallet du Pan, témoigne : « Le roi lit beaucoup… Tous les livres de sa bibliothèque lui ont passé par les mains. » Il lit l'anglais aussi bien que le français et n'a pas sauté une seule page de la grande *Histoire universelle* britannique.

Cela, c'est sa vie privée. Nul n'en parle à la cour parce qu'on ne la connaît pas. Chacun sait en revanche qu'il aime tendrement la reine.

La beauté de Marie-Antoinette, sa blondeur, son teint de rose, son élégance n'ont pas dû manquer de frapper Manon, comme tous ceux qui ont rencontré la souveraine. Un Anglais la compare à un frais bouquet de fleurs des champs. D'autres jurent que son « seul sourire » lui suffit pour séduire. On vante sa « démarche aérienne ». Ce qui a peut-être le plus frappé Manon, c'est ce que certains appellent le « port d'archiduchesse » de la reine. Comprenez que, si Louis XVI a l'air d'un brave homme, les grands airs de Marie-Antoinette ne laissent jamais oublier qu'elle est fille de l'empereur d'Autriche et reine de France.

À cette époque, la cour de France est extrêmement raffinée et les habitués de Versailles rivalisent de luxe. Voici la famille du duc de Penthièvre buvant une tasse de chocolat. Il faut savoir que le chocolat et le café sont des « épices » rares qui viennent d'Amérique et coûtent cher. Le chocolat se boit pur : le cacao est simplement dilué dans l'eau, et sucré. Le chocolat au lait n'existe pas encore !

La cour à Versailles

On se lasse de tout, même des somptuosités de la Galerie des Glaces, du salon de l'Œil de Bœuf ou des jardins de Versailles. Quand Manon en a eu assez d'admirer, elle a jeté les yeux sur l'entourage du roi, c'est-à-dire *la cour*. Et ce qu'elle a découvert l'a bien étonnée.

Pour faire partie de cette cour, il faut avoir été présenté au roi et, pour l'être, il faut prouver que l'on appartient à une famille qui était déjà noble avant l'an 1400. Une partie seulement des « présentés » est admise à la cour. On n'en arrive pas moins à 4 000 personnes pour la Maison civile du roi, à 2 000 pour sa Maison militaire. Et 2 000 encore sont attachés aux Maisons des princes et princesses de la famille royale.

À cette foule d'oisifs, le roi dispense ce que l'on appelle des *charges*. Certaines ne procurent que le bonheur d'un titre — grand écuyer, grand maître des cérémonies —, d'autres rapportent gros. Être de la cour, c'est être constamment à l'affût, c'est vouloir à

La galerie des glaces a été construite sous Louis XIV ; cent ans avant que Louis XVI ne devienne roi ! Elle mesure 10 mètres de haut — soit un immeuble de trois étages —, possède 17 fenêtres et 17 arcades décorées de miroirs.

13

tout instant plaire au roi ou à la reine, c'est chercher sans cesse l'occasion de profiter de leur générosité.

L'amitié de Marie-Antoinette pour la comtesse de Polignac fera non seulement sa fortune mais celle de toute sa famille : elle recevra 400 000 livres pour payer ses dettes, 800 000 pour doter sa fille et bientôt 500 000 livres de revenus annuels. Vous devez savoir qu'à l'époque un ouvrier gagnait rarement plus d'une livre par jour. Quand un financier genevois, M. Necker, arrivera au pouvoir, il s'apercevra avec effroi que le Trésor royal verse 28 millions de pensions — somme énorme pour l'époque — à ceux que le roi a distingués !

Chacun, dans cette grande machine qu'est Versailles, joue un rôle exactement défini. Les levers du roi et de la reine se font selon une *étiquette* — on dirait aujourd'hui règlement — qui n'a guère changé depuis le Roi-Soleil. Au lever de la reine, la comtesse d'Ossun, dame d'atours, a seule le droit de passer à Sa Majesté son

Un roi pour trois ordres

Un évêque, dans son costume de cérémonie pour les états généraux. Son vêtement d'apparat est composé d'une aube de dentelle blanche, d'une soutane, d'un manteau et d'un chapeau, tous trois rouges. Lors de la convocation de 1789, sur 291 députés du clergé, il y a 208 curés, 47 évêques et 36 abbés.

jupon. La princesse de Chimay, dame d'honneur, peut seule lui présenter la chemise et verser l'eau de la toilette. Une princesse de sang royal — la duchesse d'Orléans, la princesse de Condé ou la princesse de Conti — peut seule habiller la reine. Et cet extravagant ballet se continue pendant plus d'une heure, mettant en scène plusieurs dizaines de personnes titrées.

Comment tous ceux qui appartiennent à cette cour n'auraient-ils pas eu tendance à se prendre pour le nombril du monde ? Manon ne va pas tarder à le comprendre à ses dépens.

S'étant trouvée en présence de personnes nobles, elle s'est cru autorisée, elle qui n'a pas la langue dans sa poche, à leur adresser la parole. En réponse elle n'a eu droit qu'à des regards si hautains, si dédaigneux qu'elle a souhaité rentrer sous terre. Elle expliquera plus tard : « Le visage sans rouge de ma respectable maman et la décence de ma parure annonçaient *des bourgeois*. »

Vers la fin du séjour, Mme Phlipon demande à sa fille si elle est contente de son voyage.

— Oui, dit Manon, pourvu qu'il finisse bientôt. Encore quelques jours, et je détesterai si fort les gens que je vois que je ne saurai que faire de ma haine.

C'est ce souvenir-là qu'elle emportera de Versailles. Vous étonnerez-vous quand vous rencontrerez, quelques années plus tard, Manon Phlipon — devenue Mme Roland — au premier rang de ceux qui acclameront la République ?

Un roi adoré, un régime critiqué

Entre l'avènement de Louis XVI et la Révolution, il va s'écouler exactement quinze ans.

Sachez bien une chose : pendant ces années-là, *tous les Français sont royalistes.* Ils le seront même après que la Révolution aura éclaté. Personne en France ne pense à une république.

Alors, comment ces gens qui adorent littéralement Louis XVI en viendront-ils à le chasser du trône et à le guillotiner ? C'est toute la question.

À la veille de la Révolution, la France compte 26 à 27 millions d'habitants, un peu moins de la moitié de la population d'aujour-

d'hui. Elle est, avec la Russie, le pays le plus peuplé de notre continent. On dit d'elle qu'elle est « la Chine de l'Europe ».

Le roi de France règne sur ce peuple. Rien ne vient limiter son pouvoir. Les Français connaissent cela depuis des siècles. La différence, à la fin du XVIIIe siècle, c'est qu'ils ne l'admettent plus.

Le « siècle des Lumières », comme on l'a appelé justement, a vu naître des écrivains, désignés souvent sous le nom de *philosophes*, qui ont étudié les différents systèmes de gouvernement. Un Montesquieu a fait découvrir aux Français la démocratie anglaise : des députés élus, réunis dans une Chambre des Communes, expriment le vœu de la nation et contrôlent les actes du roi. Des hommes comme Voltaire, Rousseau, D'Alembert, Diderot ont connu une gloire immense en demandant que la liberté des citoyens ne soit plus soumise à l'autorité sans limite — on disait *l'arbitraire* — du roi. Ils ont dénoncé les *inégalités* qui divisaient la société française, les *privilèges* dont jouissait une petite minorité par rapport à la grande masse des Français.

Tous les gens instruits, en France, ont lu les philosophes. Les souverains étrangers, à Berlin comme à Vienne, à Saint-Pétersbourg comme à Stockholm se sont enorgueillis d'être leurs amis. Leurs idées, recueillies dans *l'Encyclopédie*, ont fait le tour du monde. Quand on cherche quels livres lisait la petite Manon Phlipon, on s'aperçoit que ce sont les leurs. S'évadant de son collège, le jeune Robespierre s'en est allé à pied de Paris jusqu'à Ermenonville pour apercevoir l'idole qui vit là comme un ermite : Jean-Jacques Rousseau. Ces écrivains ont créé un *état d'esprit* qui a peu à peu entraîné toute la société française. Ont subi la contagion aussi bien le *clergé*, la *noblesse* que le *tiers état*. Le clergé, ce sont les cardinaux, les évêques, les curés, les vicaires, les moines. La noblesse réunit les grands seigneurs richissimes « présentés » à la cour, mais aussi les petits nobles vivant souvent difficilement dans leurs châteaux de province. Le tiers état rassemble tout le reste. Vous conviendrez que c'est beaucoup.

Parmi ceux qui se rangeront sans hésiter sous les drapeaux de la Révolution, vous rencontrerez des nobles comme La Fayette ou Mirabeau, des évêques comme Talleyrand, des abbés comme Siéyès ou Grégoire. Ils auront tous lu les philosophes.

Ces nobles et ces prêtres, il faut que vous compreniez que c'est par pur idéal qu'ils choisiront leur camp — et contre leurs propres intérêts, ce qui n'est pas si fréquent. Ne sont-ils pas dispensés d'impôts ? Un privilège qui, aujourd'hui, ferait rêver vos parents !

Le député de la noblesse, (ils sont 270), doit porter soit un costume noir à parements d'or, soit, comme ici, un costume de couleurs. Le chapeau à plumes et l'épée font également partie des signes de la noblesse. Les trois ordres doivent respecter ces costumes vestimentaires, afin de bien marquer la différence entre eux.

Un député du tiers état (ils sont 578) revêtu de son habit noir, tient sous le bras un cahier de doléances. Certains nobles, comme Mirabeau, ont été élus comme représentants du tiers-état.

Ce n'est pas le cas du tiers état sur lequel le poids des impôts repose tout entier. En moins de cinquante ans, le commerce et l'industrie se sont beaucoup développés en France : nos ports — comme Bordeaux — importent et exportent de plus en plus de marchandises. Partout se sont élevées des fabriques. De la manufacture de Javel sortent des produits chimiques, à Rouen on tisse du velours de coton, à Lyon la soie connaît un remarquable essor, cependant que l'on assiste à une véritable explosion de la métallurgie : 1 000 ouvriers à Strasbourg chez Dietrich, beaucoup d'autres dans les Ardennes et en Franche-Comté.

Comme les nobles n'ont pas le droit de travailler sous peine de perdre leur noblesse — dans ce cas, on dit qu'ils *dérogent* — cette considérable activité est entre les mains des bourgeois. Ceux-ci ne sont pas aveugles. Ils constatent chaque jour leur importance dans l'économie, mais aussi le peu de place qu'ils occupent dans l'État. Beaucoup répètent qu'il faut que « cela change ».

Dans sa boutique du quai de l'Horloge, le père de Manon, M. Phlipon, vend des gravures qui montrent un roturier — on appelle ainsi un homme qui n'est pas noble — étendu à terre, portant sur la poitrine une énorme pierre sur laquelle sont grimpés un prêtre et un noble.

Je suis sûr que beaucoup de bourgeois ont dû rêver devant ce dessin. Pas seulement les bourgeois. Il y a en ce temps-là 18 millions de paysans en France. Eux aussi sont mécontents de leur sort.

Souffrances et espérances

M. Arthur Young a trente-huit ans. Il est anglais et curieux. Il a consacré sa vie à étudier l'agriculture dans son pays. En 1789, il voyage en France et observe d'un regard aigu la façon dont vivent les habitants de notre pays.

Ce soir-là, près de Metz, il a arrêté sa jument au bas d'une côte pour la laisser souffler. Il voit s'avancer vers lui une femme pauvrement vêtue et qui a l'air épuisé. Elle regarde avec curiosité ce voyageur, car elle n'en voit guère habituellement. Elle engage la conversation. Young écoute avec la gravité qu'il met à tout ce qu'il fait.

D'une voix plaintive, la paysanne parle de sa triste vie. Elle a sept enfants et, pour les nourrir, ne possède qu'une vache, un

L'agriculture n'a cessé de s'améliorer, mais la population augmentant, il suffit d'une mauvaise récolte, comme en 1788, pour que revienne la disette. Mais en 1792, la situation sera pire que jamais : les denrées seront rationnées, il n'y aura plus de pain. Il faut survivre. Des femmes organiseront des « soupes populaires » sur les places et dans les rues. En voici une qui vend des assiettes de soupe au choux et aux navets.

cheval et un champ minuscule sur lequel peine son mari. Grande est leur misère. Les paysans, même s'ils sont propriétaires, doivent des corvées au seigneur dont leur terre dépendait autrefois : cela veut dire qu'ils travaillent pour lui gratuitement un certain nombre de jours.

Arthur Young sait cela. Il sait que, chaque année, les paysans payent au seigneur le *cens* en argent et des rentes en nature : par exemple les vignerons doivent le quart de leur vendange. Ils sont soumis à de multiples taxes : il faut payer au seigneur pour avoir le droit de faire paître les troupeaux, le droit d'user du pressoir et du four, sans compter les péages pour traverser un pont, user d'un chemin, etc. M. Young sait que l'on appelle ces obligations accablantes les *droits féodaux*. Si certains paysans, au fil des années, ont pu les racheter, beaucoup y restent soumis.

Ce n'est rien encore : le paysan paye la *dîme* à l'Église et la *taille* au roi pour qui il doit aussi travailler gratuitement sur les routes. M. Young les a admirées, ces routes, qu'il juge les plus belles d'Europe. Mais il sait aussi que, pour les empierrer et en étendre le réseau à 3 000 lieues (12 000 de nos kilomètres), il a fallu obliger, en Bretagne notamment, les paysans à donner 30, 40 et même 50 jours de corvée par an !

Plaintes et doléances

Chapeau à la Séraphina

Chapeau à la Rétaut

Quand il est arrivé à M. Young de s'étonner que ce soit aux plus pauvres du royaume que l'on demande le plus, on lui a répondu que cela avait toujours été ainsi.

M. Young est un homme poli. Il n'a pas répondu que ce n'était pas une raison pour que cela dure éternellement.

La paysanne s'est tue. Elle regarde la campagne lorraine sur laquelle peu à peu tombe la nuit. Tout à coup son regard s'éclaire.

— On raconte, dit-elle, qu'à présent quelque chose va être fait par de grands personnages pour nous.

Quelque chose, oui. Quelque chose de bien extraordinaire : le roi Louis XVI a décidé de convoquer les états généraux.

Les cahiers de doléances

Ce matin-là, comme tous les dimanches, l'église du village est pleine.

Sur les bancs de bois usés par les générations s'entassent, vêtus de leurs meilleures blouses, les paysans et leur famille. Que d'enfants ! En ce temps, les familles de huit, dix, douze enfants paraissent parfaitement normales.

Dans la chaire, le curé vient d'achever son sermon. Ce qui étonne, c'est qu'après avoir dit *amen*, mot que tous ont répété, M. le curé ne descende pas de sa chaire. Il paraît très ému. Il reprend la parole :

— Mes chers frères, le roi a décidé de convoquer les états généraux. Sa Majesté, dans sa bonté, vous demande de lui faire connaître vos doléances.

M. le curé descend de chaire au milieu de la curiosité générale. L'assemblée se disperse mais elle s'attarde sur la place de l'église. États généraux ? Doléances ? Qu'est-ce que tout cela veut dire ?

Les plus instruits du village expliquent que, depuis la fin du Moyen Âge, le roi de France a pris l'habitude de réunir autour de lui les représentants élus de la noblesse, du clergé et du tiers état pour les consulter, surtout en matière d'impôts. Cela s'est toujours appelé les états-généraux. Depuis que la monarchie a affermi son pouvoir, on ne les a plus convoqués : les derniers ont eu lieu en 1614.

La nouveauté, c'est que, sous Louis XVI, la situation financière du royaume est devenue catastrophique. Certes, la France est riche, mais l'État, depuis longtemps, dépense trop : on a jeté l'argent par les fenêtres sans prendre garde que l'impôt

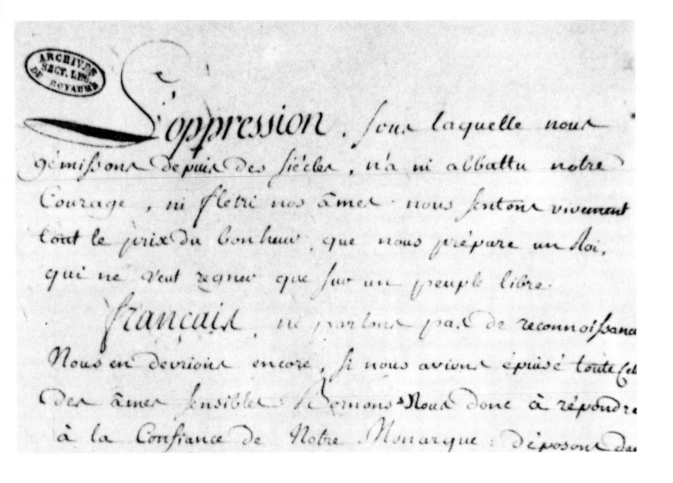

rapportait moins que ce que l'on dépensait. C'est ce que l'on appelle le *déficit*. Ces paysans, malgré leur éloignement de Versailles, savent que depuis quelque temps on nomme la reine, à cause de ses folles dépenses : *Madame Déficit*.

Bref, il n'y a plus d'argent dans les caisses du roi. Le 16 août 1788, le ministre Brienne a dû suspendre tous les paiements. C'est la *banqueroute*, autrement dit la faillite.

Cet argent, où le trouver ? Louis XVI a pensé à le demander aux nobles et aux prêtres. Ceux-ci, catégoriquement, ont refusé. Ils ont rappelé que seuls les états généraux pouvaient en France voter des impôts nouveaux.

Louis XVI s'est résigné. Il a appelé au pouvoir M. Necker, financier extrêmement compétent et que l'on sait partisan d'importantes *réformes* allant dans le sens des idées nouvelles. M. Necker a promis, pour mai 1789, de convoquer les états généraux.

C'est de cela que M. le curé vient de parler en chaire. C'est pour cela que tous les Français en âge et en droit de voter sont appelés à rédiger des *cahiers de doléances*. Doléances est un mot qui signifie plaintes, récriminations. La France entière est donc conviée à faire connaître aussi bien ce qu'elle critique que ce qu'elle souhaite.

Première page du cahier de doléances de la ville de Nantes. Chaque ville, chaque village — même le plus petit — rédige un cahier. La population se réunit pour dicter ses critiques et ses souhaits à un notable instruit, parfois le curé. Les doléances portent sur tous les sujets : état des routes, impôts, soldats, commerce... Le style est très respectueux, parfois presque affectueux : les Français aiment encore leur roi.

Vers le serment

Savez-vous combien de cahiers de doléances sont rédigés en quelques semaines dans le royaume ? Cinquante mille !

Tous ils sont envoyés à Versailles. Quand on les lit, on s'aperçoit que ce n'est pas seulement le vote d'impôts nouveaux que les Français attendent des états généraux. Ils veulent bien davantage. Les paysans exigent l'abolition des droits féodaux. Les bourgeois réclament l'égalité de tous devant la loi, la possibilité d'accéder aux emplois réservés à la seule noblesse, l'égalité devant l'impôt, une justice qui soit la même pour tous.

Surtout, ce que l'on veut, c'est une *constitution* qui précise les pouvoirs respectifs du roi et du peuple et garantisse ce à quoi l'on aspire le plus en France : *la liberté.*

Les députés des états-généraux — ils sont 1139 — siègent dans la salle de l'hôtel des Menus-Plaisirs. Ce bâtiment est situé en ville, non loin du château. En général, il sert en partie à entreposer les décors et accessoires des fêtes données au palais. Pour l'occasion, la grande salle a été aménagée et décorée d'un dais sous lequel siège le roi. Au premier rang, on reconnait le clergé aux chasubles blanches qui recouvrent les genoux ; en face, la noblesse ; de dos, le tiers état.

1 139 députés se réunissent à Versailles

— Le roi !

Le cri vient de retentir dans la salle des Menus-Plaisirs, la seule à Versailles que l'on ait trouvée assez grande pour accueillir, le 5 mai 1789, les 291 députés du clergé, les 270 députés de la noblesse, les 578 députés du tiers état, parmi lesquels ce Robespierre dont nous avons déjà fait la connaissance. En tout 1 139 représentants.

**LE SERMENT
DU JEU DE PAUME**

*L'astronome Bailly futur maire
de Paris, est debout sur une
table; il prononce le serment,
au nom de tous, et la joie
éclate. Le serment prend alors
le nom de la pièce longue et
étroite dans laquelle les députés
sont réunis; la salle du jeu de
paume. Ce jeu, qui est un
sport, ressemble à la fois au
tennis et au squash.*

Tous, dans un grand tumulte, se dressent pour voir paraître Louis XVI et Marie-Antoinette. Le roi a pris beaucoup d'embonpoint, mais pas un représentant ne songe à réprimer son émotion devant l'héritier de ces Capétiens qui règnent depuis huit cents ans et, pièce à pièce, ont construit la France. On attend tout de lui.

Or il parle mais n'annonce rien, ne promet rien, ne laisse rien espérer. M. Necker parle et il ne prononce même pas le mot réforme. La nuit tombe quand l'assemblée se disperse, indécise, désappointée. Va-t-il falloir se battre ? « La bataille est engagée », écrit le soir même un député du tiers état qui ne s'y trompe pas.

On se bat d'abord pour obtenir que les votes ne se fassent pas *par ordre* — le clergé ajouté à la noblesse auraient deux voix, donc la majorité — mais *par tête*, ce qui permettrait au tiers état de l'emporter.

Le roi refuse. Tant pis. Le 17 juin, les députés du tiers état décident de se proclamer *Assemblée nationale*, déclarant qu'ils en ont le droit puisqu'ils représentent « 97 pour cent de la Nation ». Quand il l'apprend, le roi se met en colère : puisque ces bourgeois se transforment en révoltés, on fermera la salle où ils se réunissent.

L'ennui, pour le roi, est qu'ils ne sont pas à court d'idées, ces bourgeois-là ! Les voici, furieux à leur tour d'avoir trouvé la porte close, qui prennent aussitôt le chemin d'une salle, non loin du château, où l'on pratique un jeu très populaire : la paume. Ils en forcent l'entrée, et, dans un prodigieux mouvement d'enthousiasme, jurent de ne pas se disperser avant d'avoir donné une constitution à la France.

C'est le célèbre *Serment du Jeu de Paume*.

Nous sommes ici par la volonté du peuple...

Un homme d'une laideur fascinante : Mirabeau

Le regard sombre du roi se pose sur les députés réunis de nouveau, le 23 juin au matin, aux Menus-Plaisirs. Ceux du tiers état sont mal à l'aise. Ils se sentent jugés. En fait, Louis XVI est si myope qu'il ne les aperçoit qu'au milieu d'un brouillard.

Va-t-il les condamner, les approuver ? Va-t-il enfin accepter que l'on délibère par tête ?

On saura vite à quoi s'en tenir. La voix sévère du roi s'élève :

— Je vous ordonne, Messieurs, de vous séparer tout de suite, et de vous rendre, demain matin, chacun dans les chambres affectées à votre ordre, pour y prendre vos séances.

Donc, c'est dit : on votera par ordre. Le tiers état a perdu.

Il est midi quand Louis XVI se retire. La noblesse et le clergé — sauf des curés en grand nombre, c'est important — quittent la salle. Pas le tiers.

Des ouvriers entrent. Ils emportent le trône, démontent l'estrade, décrochent les tapisseries. Le tiers état ne bronche pas. Un homme corpulent, à la tête puissante, à la laideur écrasante sous une énorme crinière poudrée, regarde tout cela. Il s'appelle Mirabeau. Il est noble mais il a choisi de siéger dans les rangs du tiers état.

La fin de la monarchie absolue

La porte s'ouvre et l'on voit paraître, dédaigneux, réprobateur, le marquis de Dreux-Brézé, grand-maître des cérémonies. Il s'approche du président, le grand astronome Bailly :

— Vous avez entendu, Monsieur, l'ordre du roi ?

Bailly rétorque calmement :

— Je crois que la nation assemblée ne doit pas recevoir d'ordre.

Il y a, dans la salle, un léger flottement. Soudain, de sa banquette, Mirabeau lance d'une voix de tonnerre :

— Allez dire à votre maître que nous sommes ici par la volonté du peuple et que nous n'en sortirons que par la force des baïonnettes !

Furieux, Dreux-Brézé sort en claquant la porte. Viendront-elles, les baïonnettes ? Non. Quand Dreux-Brézé l'informe, Louis XVI garde d'abord le silence, comme un homme désemparé qui ne comprend pas ce qui lui arrive. Puis il hausse les épaules et dit :

— Ils veulent rester ? Eh bien qu'ils restent...

Le 27 juin, faisant totalement volte-face, le roi va ordonner à la noblesse et au clergé de se joindre au tiers état et d'accepter le vote par tête. Le 9 juillet, l'Assemblée nationale se proclame constituante.

De ce jour, on peut dire qu'il n'existe plus de monarchie absolue en France.

À la page précédente, on peut voir, à droite du dessin, le marquis de Dreux-Brézé, son chapeau à la main. C'est le grand maître des cérémonies. Il est furieux de constater que la volonté du roi n'est pas respectée alors que les ouvriers débarrassent la salle et démontent déjà les tentures. À gauche, Mirabeau est dressé comme pour défier Dreux-Brézé. Cet homme sait trouver les mots qui déchaînent l'enthousiasme ou la colère. Très laid, il est aussi intelligent qu'instruit. Enfin, il n'est pas opposé à la monarchie, pourvue qu'elle soit constitutionnelle.

Ce jour-là, l'intervention de Mirabeau affermit beaucoup la position de l'Assemblée, face au roi. Elle entraîne aussi une conséquence capitale : le 9 juillet 1789 l'Assemblée nationale se déclare constituante. Cela signifie qu'elle se donne le pouvoir de créer une constitution de prendre des décisions en dehors du roi. Louis XVI n'est plus le seul à détenir le pouvoir.

La colère gronde

Camille Desmoulins monte sur une table et appelle aux armes

— On a renvoyé Necker !

Le 12 juillet 1789, le cri court Paris. Il vole de place en place, de rue en rue, de boutique en boutique, de maison en maison.

— On a renvoyé Necker !

La cour n'a pas accepté ce qu'elle appelle l'abdication du roi : abdiquer veut dire céder. Pour les grands seigneurs, plier devant des bourgeois est inadmissible. Louis XVI est malheureusement presque toujours de l'avis du dernier qui a parlé. Il se laisse convaincre. « Pour prévenir les désordres », il fait avancer des régiments — 20 000 hommes — autour de Paris. Le 11 juillet, il va plus loin encore : il « démissionne » Necker et, pour ne plus entendre parler de lui, l'envoie en exil.

— On a renvoyé Necker !

Il est midi, le 12, quand la nouvelle parvient dans la capitale. L'effet est foudroyant, d'autant plus que le sort de beaucoup de Parisiens n'est pas enviable : la récolte de 1788 a été mauvaise et l'on en paye durement les conséquences. Non seulement les

Camille Desmoulins est un ancien camarade de collège de Robespierre. Il est journaliste, et, lui aussi, avocat ; sans beaucoup de clients, car il bégaie ! Ses articles ont pourtant un grand succès. Il périra malgré tout sur l'échafaud, suivi de peu par sa femme. Le voici représenté en famille, avec sa femme Lucille et leur fils Horace.

chômeurs sont nombreux mais le pain est de plus en plus cher : en juillet 1789, il coûte 8 sous la livre, alors qu'un travailleur manuel gagne en moyenne 30 sous par jour. Or le pain est la nourriture essentielle du petit peuple. Les menuisiers du faubourg Saint-Antoine, les tapissiers du faubourg Saint-Marcel, les bouchers de la rue des Cordeliers, les poissonniers des Halles murmuraient depuis des semaines contre les ministres et ceux qui affamaient le peuple. Maintenant, la rumeur se change en clameur : après le renvoi de Necker, la cour, c'est sûr, prépare un coup de force !

La colère gronde, la fièvre monte.

Vers 3 heures de l'après-midi, une foule furieuse et angoissée à la fois se porte vers le Palais-Royal. Depuis quelques jours, des orateurs improvisés ont pris l'habitude de haranguer les promeneurs de ce jardin très apprécié du public. Un seul thème : la liberté. Ce jour-là, un jeune avocat, depuis longtemps enfiévré par les idées nouvelles, saute sur une table. Il se nomme Camille Desmoulins. En phrases brûlantes, il dénonce la menace qui pèse sur les Parisiens : sûrement le roi va dissoudre l'Assemblée nationale ! On s'apprête à faire taire les patriotes en les écrasant par la force ! On va rééditer le massacre des protestants ordonné jadis par Catherine de Medicis !

27

La prise de la Bastille

— Ce qui nous menace, hurle Desmoulins, c'est une Saint-Barthélémy des patriotes !

Une immense acclamation salue cette harangue. Desmoulins appelle le peuple aux armes. Il propose, en signe de ralliement, que sur-le-champ les amis de la liberté détachent les feuilles des arbres et les attachent à leurs chapeaux : ce seront les cocardes vertes de l'espérance. En un instant, il n'y a plus une feuille sur les arbres du Palais-Royal.

Le 13, ceux que l'on appelle déjà partout les *patriotes* creusent des tranchées, édifient des barricades. Mais si l'on veut se défendre contre les troupes que le roi — on en est de plus en plus certain — va envoyer, il faut des armes. Où les trouver ?

Très tôt, le 14 juillet, la foule se porte aux Invalides. Elle s'empare de plusieurs canons et de 32 000 fusils. Première victoire. Ce qui manque, c'est la poudre, ce sont les munitions.

Qui, le premier, a crié : « À la Bastille » ? On ne le saura jamais. Certes, la Bastille est une prison d'État. Mais vous devez savoir que, ce jour-là, en marchant sur la forteresse, personne n'a pensé aux prisonniers. On a besoin de poudre. On sait qu'il y en a dans les caves. Donc :

— À la Bastille !

L'une des clefs des cachots de la Bastille, portées triomphalement dans Paris, au soir du 14 juillet 1789. L'autre objet est une entrave : elle était mise aux chevilles des prisonniers pour les empêcher de s'enfuir. En fait, les entraves n'étaient plus utilisées à la Bastille. Depuis plusieurs décennies, la forteresse était devenue une prison « de luxe ». Nombre de prisonniers étaient des personnalités qui pouvaient apporter leur mobilier, disposer de domestiques, de médecins...

La prise de la Bastille : un symbole

Grimpé sur la plus haute tour de la citadelle dont il est gouverneur, M. de Launey, un vieux soldat, considère avec plus d'étonnement que de peur l'énorme cohue qui s'est agglutinée dans la rue et le faubourg Saint-Antoine.

Du haut des 24 mètres de ses remparts — la hauteur d'un immeuble de 8 étages — avec ses 8 fortes tours et ses courtines, la Bastille domine tout le quartier. Elle écrase les couvents, les maisons, les jardins, le palais de M. de Beaumarchais, l'auteur dramatique, père du fameux *Mariage de Figaro*. À l'abri d'un fossé large de 25 mètres et profond de 8 mètres, elle apparaît imprenable. Elle est défendue par 80 invalides encadrés par 30 de ces mercenaires étrangers que l'on appelle les « suisses ».

Dans l'esprit de ceux qui en commencent le siège, M. de Launey doit, sans faire de manière, ouvrir ses portes et livrer toute sa poudre.

L'ennui, c'est que M. de Launey n'est pas d'accord. Afin qu'on le comprenne bien, il fait pointer ses canons sur la foule.

Mais, pour montrer qu'il n'est pas méchant, il ne fait pas tirer. Il accepte même de négocier. Toute la journée, il tentera de convaincre plusieurs délégations de sa bonne volonté. Ceci jusqu'au moment où la foule brise les chaînes du pont-levis et, hurlant sa joie, s'engouffre dans la première cour de la forteresse.

Cela, c'est plus que ne peut en supporter un gouverneur élevé dans le respect de l'ordre et de l'obéissance.

Il fait un signe et les fusils partent. Les salves atteignent la foule de plein fouet. Les blessés et les morts s'abattent dans une inextricable mêlée, celle du sang répandu, de la peur, de la colère. Vers la Bastille monte une gigantesque clameur de haine.

La Bastille n'était pas un symbole, elle le devient à l'instant même où les soldats de M. de Launey ont ouvert le feu.

Maintenant, ce sont les assaillants qui tirent sur les défenseurs. Ils sont à chaque minute plus nombreux. On dirait que Paris tout entier marche sur la Bastille. Launey répond en faisant encore tirer. Au canon cette fois !

CAPITULATION DU GOUVERNEUR DE LA BASTILLE.

Nous sommes ici dans l'enceinte fortifiée, au pied de la forteresse : le gouverneur, à gauche, vient de se rendre. Une partie des bâtiments est en feu, témoin des combats qui viennent de s'y dérouler. Finalement, les assiégeants n'auront guère trouvé que 120 barils de poudre ! La démolition de la prison, entreprise par 800 ouvriers peu après le 18 juillet, sera terminée en octobre 1789. La majorité des pierres provenant du chantier seront utilisées pour terminer la construction du pont de la Concorde.

Ci-dessus : le gouverneur de Launey, qui a cédé après quatre heures de combat. Il est emmené de force vers l'hôtel de ville ; en chemin, il sera massacré avec plusieurs invalides qui défendaient la Bastille.
À droite : un extrait du journal de Louis XVI. À la date du 14 juillet, le roi a écrit « rien ». Ce n'est pas étonnant. D'abord, il n'a appris la prise de la Bastille que le 15 juillet à son réveil. Ensuite, il ne notait pas les événements politiques dans ce journal.
Au-dessus du journal, la tête de Launey sur une pique, telle que les Parisiens l'ont promenée à travers la ville. Une telle manifestation sanguinaire choquait moins les gens du XVIIIᵉ siècle, habitués à une certaine cruauté de la vie quotidienne : pauvreté, maladie, guerres, supplice public des condamnés, etc.

Il est 3 heures. Soudain le gouverneur ressent un intense soulagement : du haut des remparts, il voit accourir, au pas de charge, un détachement des gardes françaises. Cette troupe d'élite est chargée de la protection de la famille royale. Sûrement elle va enfoncer cette canaille. Erreur ! Launey ignore que les gardes, la veille, ont déjà pris parti pour ces Parisiens au milieu desquels ils vivent. Sous les regards stupéfaits du gouverneur, ils se jettent dans les bras des assaillants qui les acclament !

Il ne reste plus à Launey qu'à se rendre. Il fait ouvrir les portes. La foule exaspérée s'engouffre dans la citadelle, s'empare du gouverneur et de ses officiers. On court à travers les couloirs, on force la porte des cachots. Déception ! alors que l'on croyait la Bastille encombrée par les victimes de l'arbitraire royal, on n'y trouve que sept prisonniers : deux fous que l'on expédie aussitôt à Charenton, quatre faussaires et un noble enfermé là, selon son oncle, pour avoir commis des « crimes atroces ».

On emmène Launey. Il marche entre deux murs de femmes et d'hommes furieux. On le frappe à coups de sabre. Il tombe. Un homme — un cuisinier nommé Desnot — lui coupe la tête avec un canif.

On réveille le roi :
« Sire, c'est une révolution ! »

Ce jour-là, à Versailles, le roi a chassé pendant de longues heures. Le soir il s'est couché après avoir écrit dans son carnet trois mots seulement, promis à la célébrité : *14 juillet, rien.*

Il est plongé dans son premier sommeil quand une voix l'éveille en sursaut. Il entr'ouvre les yeux et aperçoit, à son chevet, le duc de la Rochefoucauld-Liancourt.

Le roi le regarde, interloqué. D'une voix tremblante, le duc explique :

— Sire, la Bastille est prise…

— Prise ?

— Oui, Sire, par le peuple. Le gouverneur a été assassiné. On porte sa tête sur une pique dans toute la ville.

Un silence. Le roi hoche la tête :

— Mais alors, c'est une révolte ?

— Non, Sire, c'est une révolution !

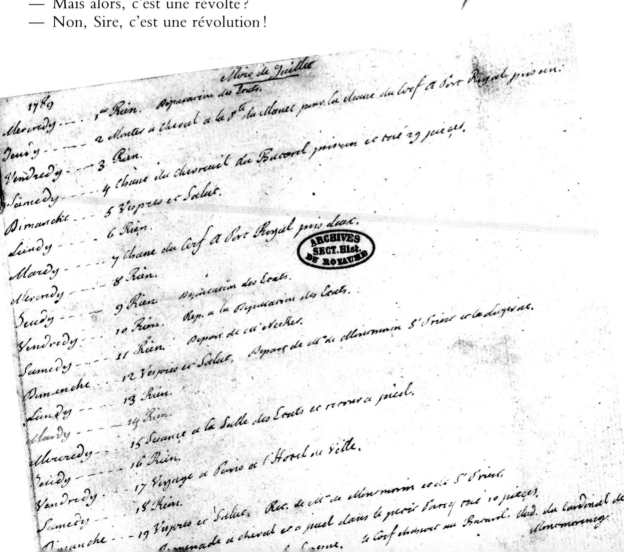

LES DROITS
DE L'HOMME

L'hôtel Carnavalet, musée de la ville de Paris, conserve de nombreux souvenirs de la révolution. Comme le portrait de ce soldat de la garde nationale, très fier de son uniforme.

Le grand dessin des deux pages précédentes nous montre sur son cheval blanc, le marquis de La Fayette. Il revient de la guerre d'indépendance d'Amérique et il rêve de liberté pour la France. Le 13 juillet 1789 la garde nationale est créée ; nous pouvons voir l'un de ces fiers soldats, armé d'un fusil à baïonnette, à gauche. Lafayette sera nommé commandant de cette garde nationale. Au centre du dessin, voici l'hôtel de ville ; nous sommes le 17 juillet 1789 et Louis XVI fait face à Bailly, le maire de Paris qui remet au roi les clefs de la ville et la cocarde. Cette dernière est tricolore, c'est-à-dire aux couleurs de Paris — bleu et rouge — et de la royauté : blanc. Notez-le bien : de ce jour le bleu-blanc-rouge deviennent les couleurs nationales. En haut à droite, au loin une berline fuit la révolution : elle symbolise le début de l'émigration. En effet, plus de 200 000 Français se réfugieront à l'étranger. À côté de la berline, un château brûle : c'est le résultat de la « grande peur » qui s'est emparée des paysans, du 20 juillet au 4 août 1789. Ils ont cru à un « complot » de la noblesse contre eux et, en réaction, ont incendié des châteaux. En bas à droite, 6 000 femmes se rassemblent, prennent les armes et partent réclamer du pain au roi, à Versailles. Nous sommes le 5 octobre 1789. Le lendemain, ramenée à Paris par la foule, la famille royale quitte définitivement le palais, représenté à gauche.

C
ette voiture toute simple qui, le 17 juillet 1789, roule entourée de soldats dans les rues de Paris, c'est celle du roi Louis XVI. L'image ressemble à celle dont 400 collégiens de Louis-le-Grand ont gardé le souvenir émerveillé. Mais est-ce bien le même roi qui fait aujourd'hui son entrée dans la capitale ?

Un cavalier de belle allure, l'épée à la main, précède l'équipage royal sur un cheval blanc : c'est le marquis de La Fayette, si populaire depuis qu'il a commandé en Amérique les jeunes Français partis se battre pour la liberté des États-Unis. En accueillant tout à l'heure Louis XVI à son entrée dans Paris, La Fayette, avec un apparent respect, l'a informé que le Comité permanent de l'Hôtel de Ville avait créé une *garde nationale*. Il a ajouté que celle-ci rassemblerait aussi bien les gardes françaises que les patriotes volontaires. Et il en sera le général, lui, La Fayette.

Comité permanent ? Garde nationale ? Comme on a été vite en besogne ! Louis XVI découvre tout cela en même temps. Il y a quelques jours encore, les décisions ne dépendaient que de sa volonté. Maintenant, on les prend sans lui.

Que vient-il faire à Paris ? Tout simplement se réconcilier avec les Parisiens. Il l'a dit tout à l'heure avec une grande simplicité à la reine qui, certaine qu'on allait l'assassiner, le suppliait en pleurant de ne pas quitter Versailles.

Une nouveauté : les trois couleurs

Tout au long du parcours, les gardes nationaux engagés de la veille forment la haie, sabres au fourreau, fusils pointés vers le bas. Stupéfait, le roi aperçoit parmi eux, tous armés, des abbés, des comédiens, des domestiques de sa Maison, des bourgeois, des femmes, jusqu'à des moines : ceux qui n'ont pas de fusils brandissent des sabres, des piques, des haches, des couteaux de chasse !

Devant l'Hôtel de Ville, Louis XVI reconnaît M. Bailly. Que fait donc là cet astronome, membre de l'Académie des Sciences et de l'Académie française ? On ouvre la portière, le roi descend. Bailly s'incline, explique qu'il a été élu maire de Paris. Maire ? Il n'y a jamais eu de maire à Paris ! Le roi n'a pas un mot de commentaire. Visiblement, il est résigné à tout.

Bailly lui présente d'énormes clés dans un bassin de vermeil :

— Sire, ce sont celles qui ont été présentées à Henri IV. Il avait reconquis son peuple ; aujourd'hui, c'est le peuple qui a reconquis son roi.

De part et d'autre de l'entrée, des gardes nationaux lèvent leurs armes pour faire au visiteur royal une voûte d'acier. On a de plus en plus de mal à contenir la foule, nullement hostile, qui se bouscule pour voir son roi. Les gardes tentent de la repousser.

— Laissez-les faire, dit Louis XVI, ils m'aiment bien.

Il entre, fait connaissance de cette municipalité qui s'est mise en place elle-même. Bailly lui présente la cocarde tricolore : encore une nouveauté ! Au rouge et au bleu, couleurs de Paris, on a ajouté le blanc, couleur de la monarchie. Bonhomme, presque jovial, Louis XVI accepte même qu'on attache cette cocarde à son chapeau. Comme une chose toute naturelle, il dit que, puisque le

Voici Louis XVI, décoré de tous les ordres. Les ordres sont des sortes de décorations. Le cordon bleu et la colombe sont les emblèmes de l'ordre du Saint Esprit ; le petit bélier doré représente l'ordre de la Toison d'or. Bientôt, le roi portera aussi la cocarde tricolore.

peuple veut Necker, il va rappeler Necker. Quand il sort, on l'acclame.

Le soir, quel soupir de soulagement pousse la reine lorsqu'elle le voit entrer sain et sauf dans ses appartements ! Elle éclate en sanglots, se jette dans ses bras. Tout à coup elle s'écarte, se fige : elle vient d'apercevoir la cocarde que son mari n'a pas songé à ôter de son chapeau. Méprisante, elle lance :

— Je ne savais pas avoir épousé un roturier !

La grande peur

Une berline passe sur la route. Jacques, le paysan, ignore qu'elle emmène à l'étranger des gens qui fuient la révolution. Il ne comprend pas... Dès lors, Jacques et les siens sont persuadés qu'un « complot aristocratique » se trame contre eux. Le mot aristocrate, qui s'emploie de plus en plus souvent, désigne la noblesse. C'est la « grande peur » : une panique sans raison s'empare de tous les paysans. Le moindre incident prend d'énormes proportions : en Champagne, la poussière soulevée par un troupeau de moutons est prise pour une troupe de soldats en marche...

En ce début du mois d'août 1789, la moisson a commencé dans beaucoup de provinces. Depuis l'aube, Jacques, le paysan, a coupé les blés à grands coups de faux. Midi vient de sonner au clocher du village. Jacques sait que, à la maison, la soupe est prête. Il quitte son champ et gagne la grand-route, celle qui conduit de Paris à Bâle, en Suisse.

Soudain, un énorme fracas lui fait tourner la tête. Dans un nuage de poussière, c'est une berline tirée par quatre chevaux qui apparaît. Sur son toit, les malles s'amoncellent.

Elle roule si vite, cette berline, que déjà elle passe sous le nez de Jacques. Elle s'éloigne, ses énormes roues et les fers des chevaux écrasant à grand bruit les pierres de la route.

Jacques n'en croit pas ses yeux : depuis le matin, c'est la sixième voiture de voyage qui passe ! Et c'est chaque jour la même chose.

La vérité est que ces berlines appartiennent à des nobles qui ont pris peur après la prise de la Bastille et qui préfèrent se réfugier à l'étranger. On les appellera bientôt des *émigrés*. Mais comment Jacques le saurait-il ? Comment, dans sa campagne où ne parvient aucun journal, aurait-il appris que l'un des frères du roi, le comte d'Artois, est parti l'un des premiers, ainsi que l'amie de la reine, Mme de Polignac ?

Savez-vous combien de Français, au cours des dernières semaines, ont demandé un passeport pour l'étranger ? Plus de 200 000 !

À table, rompant le pain noir pour épaissir la soupe qui constitue tout son repas, Jacques va exprimer devant sa femme et ses enfants un malaise qui est à la même époque celui de beaucoup de paysans en France. Toutes ces allées et venues ne leur disent rien qui vaille. Par ailleurs, les troupes appelées avant le 14 juillet

Sus aux brigands

Pour ceux qui ont le sens du commerce, les nouveautés de la révolution sont une vraie chance ! Par exemple, cette enseigne d'un marchand de rubans représentant des députés des trois ordres en 1789. Il a su se mettre au goût du jour : nœuds, rubans et cocardes tricolores pour tous.

autour de Paris par le roi regagnent leurs garnisons. Encore des mouvements que, dans l'ignorance de ce qui s'est passé exactement à Paris, les paysans s'expliquent mal. Et que dire de ces miséreux, toujours plus nombreux, qui abandonnent les villes où ils ne mangent pas à leur faim ? Ils sont souvent vêtus de haillons, ils sont maigres à faire peur. Jacques se demande quelquefois si ces intrus ne sont pas venus pour voler, piller, tuer.

L'heure est venue de repartir pour la moisson, car les blés sont mûrs. La faux sur l'épaule, la tête recouverte d'un chapeau à larges bords, Jacques, toujours songeur, regagne son champ. Il va se mettre au travail quand un grand cri le fait sursauter. Un homme qu'il ne connaît nullement passe en courant à travers les blés et hurle :

— Les brigands ! Les brigands !

Faute de brigands, on s'en prend au château

L'angoisse saisit Jacques. Il s'élance vers la route. De partout les moissonneurs effrayés le rejoignent. Chacun se hâte vers sa demeure, s'arme en hâte de ce qu'il a sous la main : un vieux fusil si l'on en possède, une faux, une fourche. Les femmes et les enfants s'enfuient dans les bois. Les hommes, eux, se campent à l'entrée du village pour monter la garde.

La nuit passe. Rien ne vient. À l'aube, on se rassure. L'inconnu qui a crié « les brigands » devait être un mauvais plaisant.

Jacques et les autres vont-ils rentrer chez eux ? Ils sont à bout de forces.

Et voici qu'un voisin s'écrie qu'il ne faut pas oublier cet autre brigand qui pille le pays depuis si longtemps, ce seigneur dont on subit toujours les exigences. Ne détient-il pas dans son château les antiques parchemins où sont contenues les obligations qu'on lui doit ? D'un seul coup les terreurs et les fatigues de la nuit sont oubliées.

Brandissant les mêmes fusils, les mêmes fourches, les mêmes faux, tout le village marche sur le château.

Ce jour-là, on va forcer la porte du seigneur tout effaré, on va s'emparer des papiers ou des registres, on va les jeter par la fenêtre, les entasser, y mettre le feu.

Jacques regarde les cendres se consumer. Un grand bonheur lui gonfle le cœur. Jamais plus on ne pourra lui imposer la corvée. Il ne paiera plus les redevances qui le ruinaient.

Ce mouvement irraisonné qui, dans tout le royaume, a fait s'armer les paysans contre un ennemi inexistant s'est appelé la *grande peur.*

Au village de Jacques, on s'est contenté de brûler des papiers. Ailleurs, c'est le château tout entier que l'on a incendié. Le 3 août 1789, l'Assemblée nationale décide de sévir. C'est décidé : ceux qui attaquent les châteaux seront punis.

La nuit du 4 août

Aux Menus-Plaisirs, ce 4 août, il est 8 heures du soir. Les députés viennent d'entrer en séance. La journée a été chaude. Heureusement, avec le crépuscule, un peu de fraîcheur s'annonce.

Le vicomte de Noailles, un cadet de famille noble, s'élance à la tribune. Il paraît au comble de l'émotion. Il parle des paysans qui s'en sont pris aux châteaux. Il s'écrie qu'au lieu de sévir, on ferait mieux de les comprendre. Supprimons les corvées seigneuriales et toutes les servitudes personnelles ! s'écrie-t-il. Autorisons les paysans à racheter les autres droits !

D'abord, sur les bancs de l'Assemblée, l'étonnement domine. Et puis, tout à coup, les applaudissements éclatent. C'est, en un instant comme une vague prodigieuse qui déferle d'un bout à l'autre de la salle des Menus-Plaisirs.

Le duc d'Aiguillon, le plus riche seigneur de France après le roi, intervient dans le même sens. Et voici qu'un député breton, Le Guen de Kerengal, qui ne passe pas inaperçu dans le beau costume de sa province, gravit à son tour les marches de la tribune. Avec une force de vérité bouleversante, il reproche à ses collègues de ne pas avoir encore supprimé les trop fameux droits féodaux :

— Vous n'avez pas un moment à perdre !... s'écrie-t-il. Ne voulez-vous donner des lois qu'à une France dévastée ?

Il regagne son banc sous les acclamations. Les nobles et bientôt les prêtres se disputent l'accès de la tribune. Avec une sorte d'enthousiasme furieux, les nobles balayent eux-mêmes cette inégalité qui les faisait dans le royaume supérieurs à tous les citoyens. Les gens d'Église abandonnent leurs dîmes, les provinces et les villes leurs anciens droits !

Les paysans s'étaient armés pour faire face aux « brigands ». Comme ils n'en rencontrent pas, ils s'attaquent aux châteaux. La « grande peur » s'est manifestée un peu partout sauf dans le Languedoc méditerranéen et l'Ouest de l'Aquitaine.

L'abolition des privilèges

Les députés sont à nouveau réunis dans la salle des états généraux qui a été réaménagée depuis le 5 mai. Il n'y a plus de trône pour le roi, mais des gradins disposés en cercle et une tribune. Les députés peuvent ainsi se voir lorsqu'ils discutent.

Quand les députés se séparent, à l'aube, écrasés de fatigue mais ravis, la féodalité est définitivement morte, les inégalités ont cessé d'exister. Une société nouvelle vient de naître.

Les étrangers présents à la séance en demeurent saisis. Décidément, disent-ils, il n'y a que les Français pour sacrifier avec allégresse, en une nuit, des privilèges quelquefois vieux de mille ans !

La déclaration des Droits de l'homme

Dans l'un des salons de son hôtel de Versailles, La Fayette accueille l'un de ses amis les plus chers, l'ambassadeur des États-Unis en France, Thomas Jefferson. Ils se sont connus en Amérique quand La Fayette s'y battait. Chaque fois qu'ils se retrouvent, c'est le même bonheur, la même joie. Un jour, Jefferson deviendra président des États-Unis.

Ce jour-là, La Fayette conduit son hôte devant deux cadres dorés appliqués à l'un des murs de la pièce. Dans l'un, La Fayette a fait placer un texte en anglais. Jefferson, en le reconnaissant, a un large sourire. C'est, en effet, la *Déclaration* qu'il a lui-même rédigée et qui s'est trouvée à l'origine de l'indépendance des États-Unis.

La déclaration des droits de l'homme et du citoyen est inspirée du modèle américain. Son succès est tel, qu'aussitôt terminée elle est traduite en trois langues.

40

DÉCLARATION
DES DROITS DE L'HOMME
ET DU CITOYEN,
Décretés par l'Assemblée Nationale dans les séances des 20.21.
23.24 et 26 août 1789. acceptés par le Roi

PRÉAMBULE

LES représentans du peuple Francois, constitués en assemblée nationale, considérant que l'ignorance, l'oubli ou le mépris des droits de l'homme sont les seules causes des malheurs publics et de la corruption des gouvernemens ont résolu d'exposer dans une déclaration solemnelle, les droits naturels, inaliénables et sacrés de l'homme, afin que cette déclaration, constamment présente à tous les membres du corps social, leur rappelle sans cesse leurs droits et leurs devoirs; afin que les actes du pouvoir legislatif et ceux du pouvoir exécutif, pouvant être à chaque instant comparés avec le but de toute institution politique, en soient plus respectés, afin que les reclamations des citoyens, fondées désormais sur des principes simples et incontestables, tournent toujours au maintien de la constitution et du bonheur de tous.

EN conséquence, l'assemblée nationale reconnoit et déclare, en presence et sous les auspices de l'Etre suprême les droits suivans de l'homme et du citoyen.

ARTICLE PREMIER
LES hommes naissent et demeurent libres et égaux en droits. les distinctions sociales ne peuvent être fondées que sur l'utilité commune.

II.
LE but de toute association politique est la conservation des droits naturels et imprescriptibles de l'homme; ces droits sont la liberté, la propriété, la sureté, et la résistance à l'oppression.

III.
LE principe de toute souveraineté réside essentiellement dans la nation, nul corps, nul individu ne peut exercer d'autorité qui n'en émane expressement.

IV.
LA liberté consiste à pouvoir faire tout ce qui ne nuit pas à autrui Ainsi, l'exercice des droits naturels de chaque homme, n'a de bornes que celles qui assurent aux autres membres de la société la jouissance de ces mêmes droits; ces bornes ne peuvent être déterminées que par la loi.

V.
LA loi n'a le droit de défendre que les actions nuisibles à la société. Tout ce qui n'est pas défendu par la loi ne peut être empéché, et nul ne peut être contraint à faire ce qu'elle n'ordonne pas.

VI.
LA loi est l'expression de la volonté générale; tous les citoyens ont droit de concourir personnellement, ou par leurs représentans, à sa formation; elle doit être la même pour tous, soit qu'elle protege, soit qu'elle punisse. Tous les citoyens étant égaux à ses yeux, sont également admissibles à toutes dignités, places et emplois publics, selon leur capacité, et sans autres distinction que celles de leurs vertus et de leurs talens

VII.
NUL homme ne peut être accusé, arreté, ni détenu que dans les cas déterminés par la loi, et selon les formes qu'elle a prescrites, ceux qui sollicitent, expédient, exécutent ou font exécuter des ordres arbitraires, doivent être punis; mais tout citoyen appelé ou saisi en vertu de la loi, doit obéir à l'instant, il se rend coupable par la résistance.

VIII.
LA loi ne doit établir que des peines strictement et évidemment nécessaire, et nul ne peut être puni qu'en vertu d'une loi établie et promulguée antérieurement au délit, et légalement appliquée.

IX.
TOUT homme étant présumé innocent jusqu'à ce qu'il ait été déclaré coupable, s'il est jugé indispensable de l'arrêter, toute rigueur qui ne serait pas nécessaire pour s'assurer de sa personne doit être sévérement réprimée par la loi.

X.
NUL ne doit être inquieté pour ses opinions, mêmes religieuses pourvu que leur manifestation ne trouble pas l'ordre public établi par la loi.

XI.
LA libre communication des pensées et des opinions est un des droits les plus precieux de l'homme; tout citoyen peut donc parler, écrire, imprimer librement, sauf à répondre de l'abus de cette liberté dans les cas déterminés par la loi.

XII.
LA garantie des droits de l'homme et du citoyen nécessite une force publique; cette force est donc instituée pour l'avantage de tous, et non pour l'utilité particuliere de ceux à qui elle est confiée.

XIII.
POUR l'entretien de la force publique, et pour les dépenses d'administration, une contribution commune est indispensable; elle doit être également répartie entre les citoyens en raison de leurs facultées

XIV.
LES citoyens ont le droit de constater par eux même ou par leurs représentans, la nécessité de la contribution publique, de la consentir librement, d'en suivre l'emploi, et d'en déterminer la quotité, l'assiette, le recouvrement et la durée.

XV.
LA société a le droit de demander compte à tout agent public de son administration.

XVI.
TOUTE société, dans laquelle la garantie des droits n'est pas assurée, ni les séparation des pouvoirs déterminée, n'a point de constitution

XVII.
LES proprietés étant un droit inviolable et sacré, nul ne peut en être privé, si ce n'est lorsque la nécessité publique, légalement constatée, l'exige evidemment, et sous la condition d'une juste et préalable indemnité.

AUX REPRESENTANS DU PEUPLE FRANCOIS

L'autre cadre est vide. Bizarre, non ? La Fayette s'amuse de la perplexité de son ami. Il explique que ce cadre a été réservé pour recevoir l'équivalent français de la déclaration américaine. Selon La Fayette, il ne suffit pas de rédiger une constitution pour que la Révolution soit victorieuse en France. Il faut, par un acte solennel, proclamer les droits de tous les Français. Bien mieux, ces droits doivent avoir une portée *universelle* : il faut qu'ils soient valables pour tous les hommes.

Le 11 juillet 1789, La Fayette a déposé à l'Assemblée un projet dans ce sens. Le 26 août, l'Assemblée vote le texte définitif de la *Déclaration des droits de l'homme et du citoyen*.

Ici, il faut que nous réfléchissions ensemble. Dites-vous bien que nous voici parvenus à un moment capital de l'histoire de la Révolution, c'est-à-dire à l'acte qui aura dans l'avenir les conséquences les plus importantes.

Les Droits de l'homme ont été et sont admirés non seulement en France, mais dans le monde entier. Tous ceux qui ont aspiré ou aspirent à la *liberté* s'en sont réclamés et s'en réclament encore.

Que dit-il, ce grand texte ? Que « les hommes naissent et demeurent libres et égaux en droits ». Que « la liberté consiste à pouvoir faire tout ce qui ne nuit pas à autrui ». Que « nul ne peut être puni qu'en vertu d'une loi » ; que tout homme est « présumé

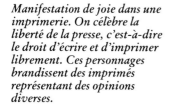

Manifestation de joie dans une imprimerie. On célèbre la liberté de la presse, c'est-à-dire le droit d'écrire et d'imprimer librement. Ces personnages brandissent des imprimés représentant des opinions diverses.

innocent jusqu'à ce qu'il soit déclaré coupable » ; que « nul ne peut être inquiété pour ses opinions ».

Un article va plus loin que vous ne l'imaginez : désormais, tout citoyen peut « parler, écrire, imprimer librement ». Dites-vous bien qu'il s'agit d'une liberté que l'on n'a jamais connue en France. Jusqu'ici, tout ce que l'on imprimait devait être soumis à une *censure*, émanation directe du pouvoir royal. Ce qui ne plaisait pas était interdit. Les écrivains en étaient réduits à publier en Hollande, en Angleterre ou en Allemagne. Quand on les trouvait trop critiques, trop impertinents, on les envoyait en prison sans jugement : Voltaire, Mirabeau ont subi ce sort peu enviable.

L'Assemblée va, dans les mois qui suivent, mettre en pratique les principes exprimés dans la *Déclaration des droits de l'homme*. Elle proclame la liberté de la presse. Elle interdit la torture, amplifiant les mesures que Louis XVI a commencé à prendre avant la Révolution. Plus d'arrestations sans l'ordre d'un magistrat. On ne sera plus jugé différemment selon que l'on est noble, prêtre ou roturier. Les juifs et les protestants pourront jouir des droits des citoyens, réservés jusque-là aux seuls catholiques.

En entendant pour la première fois proclamer les Droits de l'homme, beaucoup de gens ont pleuré. Il ne faut pas se moquer de ces larmes, mais penser que nos ancêtres ont vu enfin couronner des espérances auxquelles, un an plus tôt, ils n'auraient pas osé croire.

Ce qui est né en France, ils ne peuvent plus en douter, c'est la *démocratie*.

Les journées d'Octobre

L'après-midi du 5 octobre 1789, Marie-Antoinette rêve. Elle est assise sur un lit de mousse dans la petite grotte artificiellement aménagée pour elle dans ce hameau d'opérette où, à Versailles, elle joue si volontiers à la fermière.

L'arrivée d'un page hors d'haleine la tire de sa rêverie. Il a l'air épouvanté, ce page. Il dit que M. de Saint-Priest, le ministre de l'Intérieur, l'envoie. Pourquoi ?

— Le peuple marche sur Versailles !

Elle se dresse, toute pâle. En une seconde, elle a compris.

Tout le monde n'a pas accepté la Déclaration des droits de l'homme. Des députés continuent à refuser tout changement aux pouvoirs du roi. Comme ils siègent à droite du fauteuil du

Nous sommes le 1er octobre. Un banquet est donné en l'honneur des officiers du régiment de Flandre. La fête se déroule dans le magnifique cadre de l'opéra du château de Versailles. Cet opéra, créé par l'artiste Gabriel, avait été inauguré à l'occasion du mariage de Louis XVI et de Marie-Antoinette.

Le banquet du scandale

Le bruit se répand qu'à l'occasion du banquet, des officiers auraient piétiné la cocarde tricolore. De plus, ils auraient mis la cocarde noire, à la couleur de Marie-Antoinette, en présence du roi, de la reine et du dauphin... Les Parisiens ressentent ce « scandale » comme un défi et une menace pour la révolution.

président, ils sont devenus *la droite*, dénomination que l'on emploie encore aujourd'hui. D'autres, au centre — des nobles libéraux, des bourgeois modérés comme Mounier —, acceptent les réformes mais, pour éviter que l'on aille trop loin, demandent que, dans la Constitution à laquelle on travaille, le roi ait le droit de s'opposer aux lois votées par l'Assemblée : ils appellent cela le *droit de veto*.

Marie-Antoinette soupire. Ce droit de veto a fait couler tant d'encre et de salive ! Ceux qui, comme Barnave, Lameth, Duport, siègent à gauche du président — *la gauche* — ont crié que, si l'on accordait ce droit au roi, ce serait comme si l'on égorgeait la Révolution !

Quant à Louis XVI, montrant pour la première fois quelque énergie, il a stupéfié tout le monde en déclarant soudainement qu'il ne signerait pas les décrets consacrant les décisions prises dans la nuit du 4 Août, pas plus d'ailleurs que la Déclaration des droits de l'homme. Que deviendraient la noblesse — dont le roi se sent le protecteur naturel — et le clergé si on leur supprimait tout moyen d'existence ?

À Paris, de nombreux journaux ont mis en vedette cette affaire du veto. Première raison de mécontentement. Quand on apprend que le roi refuse de signer, cela devient de l'exaspération. Un certain Marat, par exemple, écrit là-dessus des articles violents. À Paris pendant de longs jours, l'agitation ne cesse pas. Le pain devient rare et de plus en plus cher. L'hiver approche. Comme toujours, des bruits sans fondement courent la capitale. Des personnes « bien informées » jurent que d'énormes stocks de blé sont entreposés à Versailles.

À la cour, on s'inquiète de l'agitation qui règne à Paris. D'un jour à l'autre, tout peut exploser. Il faut protéger le château. On décide de faire venir à Versailles le régiment de Flandre dont la fidélité au roi est connue. On multiplie à son égard les flatteries, les prévenances. Dans la salle de l'Opéra, on offre un banquet aux officiers. Le roi et la reine y assistent, fort acclamés. A-t-on crié : *À bas l'Assemblée* ? A-t-on foulé aux pieds la cocarde tricolore ? À Paris, des journaux l'affirment.

Quatre jours après le banquet, le 5 octobre au matin, une femme, obsédée comme tant d'autres par le manque de pain, lance ce cri dans une rue de Paris :

— Allons chercher le boulanger, la boulangère et le petit mitron !

Instantanément, des groupes se forment. Armées de piques, de fourches, de manches à balai, 7 à 8 000 femmes se mettent en route sous la pluie. Une marche exaltée, irraisonnée. D'excellentes épouses, de bonnes mères, mais aussi des mégères. Celles-ci aiguisent d'énormes couteaux de cuisine sur les bornes de la route. C'est à la reine qu'elles en veulent surtout. On l'accuse d'être défavorable à la Révolution et de mal conseiller le roi.

Excitées par le « scandale » du banquet, 7 000 femmes armées comme des hommes se dirigent sur Versailles. Elles sont conduites par Maillard, l'un des vainqueurs de la Bastille. La route est longue depuis Paris, mais elles veulent du pain. C'est donc par moquerie qu'elles comparent la famille royale à des boulangers : le boulanger c'est le roi, la boulangère, la reine, et le petit mitron, qui signifie apprenti boulanger, c'est le dauphin.

— Nous voulons chacune rapporter quelque chose de Marie-Antoinette !

— J'en aurai une cuisse !

— J'en aurai des tripes !

Voilà, en rentrant au château pour rejoindre le roi, ce que Marie-Antoinette apprend peu à peu.

Une marée humaine, trempée et crottée, bat les grilles du château, fermées précipitamment. Sans cesse, de nouveaux arrivants rejoignent les premiers. De cette foule monte un sourd grondement. On crie des insultes à *l'Autrichienne* : ainsi appelle-t-on par dérision la reine.

Au château, la panique monte. Les ministres supplient le roi de se réfugier à Rambouillet avec sa famille. Il refuse.

La nuit est tombée. On apporte au roi de graves nouvelles : La Fayette marche sur Versailles avec 30 000 gardes nationaux. Du coup, M. de Saint-Priest revient à la charge. Il supplie le roi de suivre ses conseils, de partir pour Rambouillet. De là, il ira à Rouen et, à la tête d'une armée fidèle, rentrera dans Paris pour en chasser les rebelles. Le roi accepte enfin. Trop tard. On a perdu quatre heures. La foule bloque les issues des écuries !

On introduit auprès du roi une délégation de l'Assemblée conduite par Mounier. Celui-ci adjure Louis XVI de signer les décrets qu'il refusait jusque-là de ratifier. Le roi réfléchit un instant. Puis il hoche la tête. Il signe.

Minuit. La Fayette arrive de Paris. Il rassure le roi qui confie à ses gardes nationaux la surveillance des postes extérieurs du château. La foule se disperse. Les femmes s'en vont passer la nuit sur de la paille dans la caserne des gardes-françaises. À 3 heures du matin, La Fayette, épuisé, va se coucher dans son hôtel. Le roi et la reine gagnent leurs appartements.

Rassuré, le château s'endort.

Le dernier jour de Versailles

Au-dessus des toits, les premières lueurs du jour commencent à poindre. Il est 5 heures et quart. Les Parisiennes, sortant des dortoirs improvisés où elles ont fort mal dormi, se répandent sur la place d'armes en baillant.

Tout change en un instant. Un tambour se met à battre. Un homme brandit un drapeau aux couleurs de la ville de Paris, rouge et bleu. La foule se presse autour de lui. Un cri :

— Au château !

Marie-Antoinette dort. Le bruit que font des gens sous ses fenêtres la réveille. Elle sonne Mme Thibault, sa femme de chambre : que se passe-t-il ?

— Ce sont là des femmes de Paris qui n'ont pas dû trouver à se coucher, répond Mme Thibault.

Marie-Antoinette cherche à se rendormir.

Ce qu'elle ignore, c'est que toute une bande d'hommes armés de haches, de serpes, de massues, quelques-uns de fusils, s'est engouffrée dans le château. Ils ont désarmé les deux suisses de garde et gagné le premier étage. Ils se heurtent aux gardes du corps qui doivent, devant le nombre, se replier. L'un d'eux est rejoint,

Des hommes ont rejoint les femmes arrivées la veille. Ensemble, ils ont réussi à pénétrer dans l'enceinte du château, par une grille restée ouverte. Dans son énervement, la foule a des instincts meurtriers... Les défenseurs du palais, trop peu nombreux, sont immédiatement débordés et massacrés. On voit un émeutier qui s'apprête à décapiter un garde suisse du palais, tombé à terre.

À Paris ! À Paris !

Le fils de la reine et du roi de France, né à Versailles le 27 mars 1785, est un enfant délicat et fragile. Il s'appelle Louis, comme son père. Depuis la mort de son frère aîné, voici quelques mois, il est le dauphin. Ce titre, très ancien, hérité de la province du Dauphiné, est porté par les fils aînés des rois de France.

La fille de Louis XVI et de Marie-Antoinette, dite « Madame Royale », s'appelle Marie-Thérèse Charlotte, du prénom de sa grand-mère maternelle. Elle est la seule de sa famille qui survivra à la révolution. Sur ce tableau, elle est âgée d'environ 8 ans.

frappé par derrière. On le traine par les cheveux, se débattant, jusque dans la cour des Ministres. Là, un certain Jourdan, dit *Coupe-têtes*, lui tranche le cou. Un autre est mis à mort.

On entend dans le palais des cris affreux :

— C'est par là, c'est par là !

— À mort !... Il nous faut le cœur de la reine !

— Où est cette sacrée coquine ?

Éperdue, Marie-Antoinette passe ses bas, enfile un jupon. Elle fuit par le petit corridor qui s'ouvre à la tête de son lit. Elle se heurte à une porte fermée sur laquelle elle se meurtrit les poings. Après plusieurs minutes, un serviteur entend ses appels, lui ouvre. Elle sanglote convulsivement. Elle court vers l'appartement de Louis XVI.

Un peu plus tard, toute la famille royale est réunie dans la chambre du roi : Louis XVI, Marie-Antoinette, le dauphin — nom que l'on donne à l'héritier du trône —, un petit garçon de quatre ans, et sa sœur ainée, Madame Royale, douze ans.

On entend les coups de hache des assaillants qui brisent la porte de l'Œil-de-Bœuf. Soudain, tout cesse. La famille royale est sauvée : la garde nationale, avec La Fayette, dégage le château.

Dans la cour, la foule hurle maintenant :

— Le roi au balcon ! Le roi au balcon !

Quand il paraît, un cri s'élève :

— Vive le roi !

Aussitôt, un autre cri :

— À Paris ! À Paris !

Dans un moment de silence, une voix forte clame :

— La reine au balcon !

Livide, elle vient saluer avec ses enfants. La foule exige :

— Point d'enfants ! La reine seule !

Elle repousse sa fille et son fils. Elle est seule devant la foule. Des fusils se lèvent vers elle. On entend :

— Tire ! Tire !

Elle s'incline dans l'une de ces grandes révérences que l'on faisait si bien à la cour. Ce tranquille courage retourne la foule qui se met à hurler :

— Vive la reine !

Un peu plus tard, le roi promet d'aller à Paris avec sa femme et ses enfants :

— C'est à l'amour de mes bons et fidèles sujets que je confie ce que j'ai de plus précieux !

À 1 h 25 de l'après-midi, le cortège royal quitte Versailles. On

La cour de marbre du château de Versailles que vous voyez sur cette photo n'a pas changé depuis 1789. Elle est située au centre des bâtiments. C'est sur le balcon que sont apparus le roi et la reine, comme on peut le voir sur la gravure ci-dessous.

La reine tient son petit garçon, le dauphin, dans ses bras, pendant que Louis XVI tente d'apaiser la foule. Dans quelques heures, la famille royale sera prisonnière de Paris.

n'arrive à Paris qu'à 6 heures, après une marche qui est un long calvaire : la foule danse autour du carrosse royal devant lequel on brandit sur des piques les têtes des gardes du corps assassinés.

La famille royale s'installe au palais des Tuileries où l'on a en toute hâte remeublé quelques pièces.

Quelques jours plus tard, l'Assemblée quitte Versailles pour rejoindre le roi. Louis XVI est devenu l'otage des Parisiens.

Quatre-vingt trois départements

Quand vous emprunterez à Paris la rue de Rivoli, je vous conseille, à la hauteur de la rue de Castiglione, de vous arrêter un instant : là, à cheval sur le jardin des Tuileries et la rue de Rivoli non encore tracée, s'élevait la *salle du Manège*.

Cet édifice construit sous Louis XV pour l'entraînement de jeunes cavaliers nobles à été acquis par l'État après les journées d'octobre afin que l'Assemblée nationale constituante, de retour de Versaille, puisse s'y installer.

C'est désormais dans ce vaste rectangle que vont s'écrire toutes les pages — grandes et petites — de la Révolution. Là que vont siéger toutes les assemblées : la Constituante, la Législative, la Convention, le Conseil des Cinq-Cents.

J'ai souvent rêvé en ce lieu dont il ne reste rien, la salle du Manège ayant été démolie en 1810. Peut-être à votre tour imaginerez-vous, sur les travées, la foule enfiévrée des députés, les cris des tribuns. Sous cette voûte épaisse qui assourdissait la voix des orateurs et amplifiait au contraire les apartés et les murmures, ont parlé Mirabeau, Barnave, Vergniaud, Robespierre, Danton. D'admirables idées ont été soutenues et des haines terribles se sont déchaînées. Là, on a proclamé la République. Là, Louis XVI a été jugé et condamné à mort...

Le jardin des Tuileries. Commencé sous Henri IV, il fut achevé par le Nôtre sous Louis XIV. Placé entre le château des Tuileries que Louis XVI quittera pour aller en prison et la place de la Révolution (aujourd'hui, la Concorde), où il sera guillotiné, ce jardin est au cœur des grandes journées révolutionnaires.

Parmi toutes les séances de l'Assemblée constituante, c'est celle du 4 février 1790 que je voudrais retenir. Ce jour-là, au Manège — comme on dit pour simplifier — il n'y a pas une place de libre, pas plus sur les bancs des députés que dans les tribunes du public. C'est que le roi doit prendre la parole. Va-t-il décidément se déclarer le partisan de ce grand mouvement qui emporte tout — ou s'avouer son adversaire ?

Depuis trois mois, l'Assemblée a jeté les bases d'une France nouvelle. L'administration des provinces, avec ses coutumes qui variaient d'une région à l'autre, a été remplacée par 83 départements, soumis aux mêmes lois, divisés en districts, en cantons et en communes. Il faut croire que l'institution était solide puisque, dans ses grandes lignes, elle existe encore aujourd'hui !

« Quel bon roi !
Il faut lui élever un trône d'or ! »

On sait maintenant, à peu de choses près, ce que sera la Constitution, la première que nous ayons eue en France. Elle proclamera que tous les pouvoirs appartiennent à la Nation qui les délègue d'une part à une *Assemblée législative*, élue pour deux ans, composée de 745 députés, de l'autre à un *roi des Français*.

On sait que le roi gouvernera avec six ministres qu'il nommera.

On sait que l'Assemblée votera les lois qui ne deviendront définitives que si le roi les approuve. Il pourra s'y opposer en exerçant ce fameux droit de *veto* qu'on a fini, après tant de discussions passionnées, par lui reconnaître. Le roi dirigera la politique étrangère, il sera le chef de l'armée; en cas de guerre, il commandera les mouvements des troupes.

Vous vous dites que cette Constitution conserve au roi des pouvoirs considérables. Vous avez raison. Il en possède plus que notre président de la République, par exemple, qui ne dispose pas du droit de veto. Beaucoup plus que la reine d'Angleterre aujourd'hui, le roi des Belges, le roi d'Espagne, qui règnent mais ne gouvernent pas.

N'oubliez pas cependant que Louis XVI était né au sein d'une monarchie absolue, qu'il avait tout au long de son enfance vu son grand-père Louis XV exercer un pouvoir sans limite, qu'il avait régné pareillement durant quinze ans : plus que ne durera l'empire de Napoléon.

Le 12 novembre 1789, l'Assemblée a décidé qu'il y aurait une municipalité dans chaque ville ou village, soit 40 000 communes (il y en a 32 000 aujourd'hui). Puis, le 22 décembre, elle décrète la division de la France en 83 départements. On voit ici un représentant du clergé qui se plaint de cette nouvelle organisation parce qu'elle ne correspond pas à la division religieuse en 117 diocèses.

La fête de la Fédération

N'oubliez pas non plus qu'il estimait, depuis son sacre, tenir son pouvoir de Dieu. Accepter que ce pouvoir fût limité, n'était-ce pas trahir Dieu ?

Le voilà, ce roi, qui monte à la tribune, de son pas lourd. Le silence s'établit. Il parle. Il affirme que personne plus que lui ne sera fidèle à la Constitution et qu'il veut s'associer étroitement à la réussite de tout ce que l'Assemblée a entrepris.

Debout, les députés en délire l'acclament. L'un d'eux, Barère, éclate en sanglots en s'écriant :

— Quel bon roi ! il faut lui élever un trône d'or et de diamant !

Deux ans plus tard, le même Barère votera la mort de Louis XVI...

La France est-elle réconciliée avec son roi ? Elle le croit. C'est le temps où un homme comme Mirabeau, que l'on pensait si fortement hostile à la famille royale, offre ses services à Louis XVI. Il jure que, si le roi se rallie franchement et sans réserve à la cause de la Révolution, « la monarchie est sauvée ».

Comment Mirabeau pourrait-il supposer que, tout en feignant d'accepter l'œuvre de l'Assemblée, le roi a envoyé en secret un émissaire à Madrid, qu'il s'apprête à en envoyer un autre à Vienne ? Il a fait savoir aux souverains qu'il n'était pas libre et que, s'il paraissait approuver la situation nouvelle, il le faisait contraint et forcé.

Ce double jeu, personne ne le soupçonne encore. La France est sûre qu'elle va connaître un bonheur ignoré jusque-là puisque le jour de la liberté est arrivé.

Pour les Français, liberté et roi ne font plus qu'un. Ils vont le démontrer le 14 juillet 1790.

L'enthousiasme est à son comble ! À la fin de la cérémonie de la fête de la Fédération, Louis XVI jure de maintenir la constitution. Alors la reine Marie-Antoinette prend son fils dans les bras et le montre à la foule.

Le premier 14 Juillet

Cet uniforme où le blanc du plastron contraste avec le bleu de l'habit et le rouge des poignets, c'est celui des gardes nationaux accourus à Paris, de tous les coins du royaume, pour célébrer le premier anniversaire de la prise de la Bastille. Avant de se mettre en route, à pied ou dans les voitures publiques, ils se sont promis de rester unis et de s'entraider toujours les uns les autres. La fête à laquelle ils vont participer sera celle de la *Fédération* des gardes nationales. Ils sont des *fédérés*.

L'Assemblée a décidé que toutes les gardes nationales du royaume enverraient à Paris un député sur 200 hommes. Le résultat : 20 000 gardes nationaux viennent d'arriver dans la capitale !

Ce qu'ils découvrent, c'est une ville totalement mobilisée. C'est la fête la plus extraordinaire de l'histoire de Paris qui se prépare.

Cette commémoration sans égale doit avoir lieu au Champ-de-Mars, alors en pleine campagne et beaucoup plus vaste qu'aujourd'hui. On a donc commencé à niveler cette plaine immense, avant de construire autour d'elle des gradins où pourront prendre place un million de spectateurs, avant d'édifier du côté de la Seine — là où s'élève aujourd'hui la tour Eiffel — un arc-de-triomphe colossal et, du côté de l'École militaire, une tribune pour le roi. Au milieu, on a prévu de dresser un « autel de la patrie » où doit être célébrée une messe solennelle.

Les travaux ont débuté au milieu de juin et 15 000 ouvriers ont été engagés. Hélas, vers le 7 juillet, on s'est rendu compte que jamais les travaux ne seraient achevés pour le 14. Une catastrophe !

Or, dans un journal, un garde national de Paris formule une bien étonnante proposition : pourquoi tous les Parisiens ne se porteraient-ils pas volontaires pour transformer cet échec humiliant en une victoire éclatante ? Le jour même où l'article paraît, des hommes, des femmes, des vieillards, des enfants accourent de tous les quartiers de Paris. Quelques heures plus tard, de grandes dames viennent s'atteler à des chariots à côté de marchandes de la

Des gens de toute condition sociale viennent en famille au Champ de Mars pour aider les ouvriers à préparer la grande fête qui doit se dérouler le 14 juillet à l'initiative de La Fayette : on travaille et on s'amuse aussi. Regardez : au premier plan, une femme très élégante pousse une brouette, mais à gauche, une autre se fait porter par un ouvrier.

Une fantastique célébration

Un « Pot Jacqueline » : c'est un pichet pour servir à boire. Celui-ci à pris l'aspect d'un soldat assis à califourchon sur un tonneau. Sur le pied, on peut lire « ça ira, ça ira », la chanson née lors des travaux du Champ de Mars.

Halle. Côte à côte on voit travailler une religieuse, un magistrat, une actrice, un moine. Le général La Fayette, pelle en mains, soulève à grandes volées la terre. Le roi lui-même vient piocher et forger un clou sur une enclume en criant : « Vive la Nation ! »

Une famille entière est en même temps au travail : le père pioche, la mère remplit de terre la brouette que leurs enfants poussent chacun leur tour. Dans les bras de son grand-père de quatre-vingt-treize ans, le plus jeune qui n'a que quatre ans chante de sa petite voix : *Ah ! ça ira, ça ira.*

La chanson *Ça ira* est née au Champ-de-Mars. Elle sera désormais reprise lors de chaque grande journée de la Révolution.

Plus de 250 000 travailleurs et travailleuses montrent le même élan, le même enthousiasme. Quand la nuit tombe, il n'est pas question que l'on s'arrête. Des milliers de torches s'allument qui éclairent fantastiquement le chantier.

Quand tous les Français s'aimaient

L'aube du grand jour se lève. Il pleut ! De toute la journée, cela ne cessera pas, mais il semble que personne ne s'en soit aperçu.

Des gardes nationaux trempés jusqu'aux os défilent sur l'esplanade en chantant. La pluie, sur les gradins, colle les robes sur le corps des jolies femmes en toilette d'été. Les députations marchent derrière leurs bannières ruisselantes. On ne fait qu'en rire.

Quand le roi prend place sur son trône de velours bleu, une interminable ovation l'accueille. Le canon tonne, les tambours battent. M. de Talleyrand, évêque d'Autun, célèbre la messe.

Voici que s'avance, sur son cheval blanc déjà entré dans la légende, le général La Fayette : il a renoncé à la particule. D'ailleurs, l'Assemblée vient d'abolir définitivement la noblesse. Follement acclamé, il s'arrête devant l'autel, y monte et, à pleine voix, prononce ce serment :

— Je jure fidélité à la Nation, à la Loi et au Roi !

Plusieurs centaines de milliers de voix lui répondent en même temps :

— Je le jure !

Quand La Fayette descend de l'autel, c'est une incroyable ruée : on l'entoure, on le presse, on embrasse ses mains, ses bottes et même son cheval blanc !

Cette foule attend que le roi traverse le Champ-de-Mars pour

La Fête de la Fédération marque le premier anniversaire de la prise de la Bastille. Au Fond, vous reconnaissez l'Ecole militaire devant laquelle on a édifié une tribune pour le roi. Au centre, l'autel où M. de Talleyrand, évêque d'Autun, dit la messe (il n'en a célébré que sept dans toute sa vie !). Au premier plan : l'arc de triomphe édifié spécialement pour cette fête. Il était à peu près à l'emplacement actuel de la Tour Eiffel.

aller prêter serment à l'autel. Déception : c'est de sa propre tribune que Louis XVI parle. Les quatre cinquième des présents n'entendent pas un mot de ce qu'il dit :

— Je jure d'employer tout le pouvoir qui m'est délégué par la loi à maintenir la Constitution décrétée par l'Assemblée nationale et acceptée par moi.

La reine élève son fils dans ses bras. C'est du délire. Encore les canons, encore les tambours. Trois cents chanteurs entonnent un *Te Deum*, pour remercier Dieu de ce bonheur sans mélange. Jusqu'au soir, des délégations défilent — toujours sous la pluie — devant le roi. Toute la nuit, aux Champs Élysées, sur les places, dans les rues, Paris va danser sous les lampions.

Un historien l'a écrit : « Je ne vois guère qu'un jour où tous les Français se soient trouvés d'accord. Ce jour-là fut le 14 juillet 1790. »

Vous allez voir que cela ne durera pas.

Ci-dessus : Louis XVI, lui aussi, vient piocher au Champ-de-Mars pour aider les Parisiens à préparer la fête de la fédération.

LA CHUTE DE
LA MONARCHIE

Paris, ville de contrastes

Voyons la signification du grand dessin de la double page précédente. À gauche, coiffé d'un bonnet de velours rouge, le sourcil sévère, voici le pape Pie VI. Le 10 mars 1791 il se déclare contre la constitution civile du clergé ; cela signifie qu'il n'est pas d'accord pour que les prêtres prêtent le serment à la constitution. Dès lors, le clergé se divise : les prêtres « jureurs » sont ceux qui ont prêté le serment ; les prêtres réfractaires, sont ceux qui ont refusé. Alors il arrive que des paysans ou les « patriotes » se mettent à occuper les églises pour en déloger soit les « jureurs » soit les réfractaires. C'est ce que montre le dessin immédiatement sous le pape. Au centre, la berline qui disparaît à l'horizon, c'est le roi qui s'enfuit poursuivi par un cavalier ; celui-ci s'appelle Drouet. Il a reconnu la famille royale, qui sera arrêtée à Varennes. Celle-ci doit revenir au Palais des Tuileries, à Paris. Peu de temps après, le 20 juin 1792, nous voyons en bas à droite une énorme foule de patriotes qui se dirige vers ce même palais, pour forcer le roi à accepter les décisions de l'assemblée. Louis XVI refuse et la foule repart. Mais le 10 août 1792, pour éviter l'effusion de sang, le roi est contraint, avec sa famille, d'abandonner les Tuileries ; le voici, à droite, marchant seul, en tête. Maximilien de Robespierre, le grand personnage à la perruque poudrée de la page de droite semble dominer les événements. Il commence en effet à se faire connaître des Parisiens. Il ne veut pas de la guerre, mais il ne peut l'éviter. Juste devant lui, des hommes signent sur une table : ce sont des volontaires qui s'engagent dans l'armée, pour défendre la patrie. Nous sommes en août 1792.

Fabien, garde national du département de la Drôme, s'est accordé quelques jours, après la fête du Champ-de-Mars, pour visiter Paris.

Ce qui l'émerveille, c'est d'abord de voir tant de gens à la fois. Il découvre dans un seul quartier de la capitale autant d'habitants qu'à Valence dont il est originaire. Souvenez-vous : 650 000 habitants ! Dans les rues, les passants marchent en flots pressés. Ils entrent et sortent sans cesse de maisons dont certaines ont conservé leurs façades du Moyen Âge, mais aussi d'immeubles tout neufs qui comptent cinq ou six étages.

Quand, rentré chez lui, Fabien parlera de Paris, il évoquera surtout cette foule bruyante qui ne tient pas en place. Il dira que les Parisiens, en toute occasion, courent, parlent, crient, chantent ou sifflent...

Ce qui étonne aussi notre garde national, c'est l'étroitesse des rues. La plupart du temps, les charrettes doivent s'y prendre à plusieurs fois pour se croiser. Les places elles-mêmes ne ressemblent guère à celles que nous connaissons. Imaginez que le palais des Tuileries est par exemple entouré d'une multitude de maisons et d'échoppes pressées les unes contre les autres. Fabien a bien du mal à se retrouver parmi ces innombrables passages ou culs-de-sac dont certains, le soir, sont fermés par des grilles.

Les premiers clubs

De tout cela montent des odeurs fortes, comme celle des oignons grillés offerts par des marchands ambulants et dont raffolent les Parisiens. Les eaux qui coulent au centre de la chaussée ou stagnent parmi les ordures deviennent, quand arrive l'été, parfaitement nauséabondes, surtout quand elles se mêlent au crottin laissé par d'innombrables chevaux, à la bouse des bœufs ou des veaux que l'on mène aux boucheries, aux besoins des chiens, des chats, des poules qui courent en liberté, et enfin au contenu de pots de chambre vidés — cela ne dérange personne — par la fenêtre.

Rien de plus contrasté que ce Paris-là. Fabien observe que les nobles et les riches bourgeois résident dans le faubourg Saint-Germain, le Marais, le Temple, l'Arsenal. Le quartier des Cordeliers, autour du Théâtre-Français — l'actuel Odéon — rassemble des petits bourgeois, des artisans, des intellectuels. Dans le quartier Saint-Paul vivent surtout des maçons, rue Saint-Denis des bonnetiers et des merciers. Le faubourg Saint-Antoine est le

quartier du meuble et des travailleurs du bois. Chaillot accueille des filatures de coton et des forges. Le quartier du Roule est le refuge des chiffonniers.

Comme Fabien, vous devez garder en mémoire cette vision du Paris de la Révolution. N'oubliez jamais que les transports y sont très difficiles. Les députés le savent bien, qui ont tous cherché à se loger autour de l'Assemblée nationale. La plupart des Parisiens ne sortent guère de leur quartier. C'est ce qui explique que, lors des grandes journées révolutionnaires, certains resteront étrangers à tout. On verra des ménagères faire tranquillement leur marché le 10 août 1792 quand on se battra aux Tuileries. On verra en septembre la foule courir à la fête de Saint-Cloud quand on massacrera dans les prisons.

Cette ville où Fabien se promène vient d'être divisée en quarante-huit sections. Des *clubs* s'y sont installés, au sein desquels les fervents de la Révolution échangent des propos passionnés. Certains de ces orateurs de quartier — comme, au club des Cordeliers, le jeune avocat Danton — deviendront bientôt des vedettes de la politique.

LE PORT AU BLÉ À PARIS

La vue montre les berges et une partie de la Seine, à la hauteur de Notre-Dame dont on voit les tours, à gauche. À cette époque, l'activité des ports de Paris est très importante : en effet, le fleuve est l'un des moyens de transport les plus sûrs. À gauche, deux bateaux vont décharger leur marchandise ; on peut voir à droite des sacs de blé empilés sur le quai. Il y a là des marchands, des ouvriers, des gens qui se promènent ou discutent. Un carrosse passe, sous le linge qui sèche aux fenêtres.

Le club des Jacobins

Une carte du club des Jacobins; il en existe de plusieurs formes. Chaque membre doit en posséder une pour prouver qu'il fait partie du club et il lui est interdit de la prêter.

Peut-être Fabien est-il entré dans cet autre club qui attire de plus en plus de monde, celui qui s'est installé dans le réfectoire d'un couvent de la rue Saint-Honoré occupé jusque-là par des moines jacobins et que, pour cette raison, l'on commence à appeler le *club des Jacobins*. Au début, il fallait être député pour en être membre. Maintenant, chacun peut y adhérer à condition d'être présenté par des « parrains ». Les Jacobins affichent bien haut leur but : défendre la Constitution. Quand Fabien apprend que d'autres clubs des Jacobins existent déjà en province, il se promet de se renseigner pour savoir si Valence en compte déjà un.

Avant de monter dans la *turgottine* — voiture publique inventée par le ministre Turgot — qui le reconduira chez lui, Fabien jette un dernier regard sur cette grande ville qu'il s'est efforcé de comprendre sans y être parvenu entièrement.

Des gens bien séduisants, certes, ces Parisiens, dont la foi et les larmes au Champ-de-Mars l'ont bouleversé. Mais comme ils s'enflamment facilement ! La prise de la Bastille, les journées d'Octobre, tout cela s'est accompli avec la même rapidité que l'explosion d'un tonneau de poudre quand on en approche une allumette.

Il n'est rien décidément de plus merveilleux que l'enthousiasme des Parisiens. Mais il n'est rien de plus redoutable que leur colère.

La nationalisation des biens de l'Église

À la tribune de la salle du Manège, Mirabeau, secouant avec emportement sa crinière grisonnante, mais laissant paraître sur son visage une inquiétante fatigue, tonne une fois de plus :

— Vous délibérez, clame-t-il. Et la banqueroute est à vos portes !

Vous n'avez pas oublié que Louis XVI n'a convoqué les états généraux que pour tenter de résoudre ses difficultés financières. Les idées des *Droits de l'homme* sont fort belles, bien sûr, mais comment pourraient-elles venir à bout d'un déficit de plus en plus accablant ? La dette léguée par ce que l'on appelle maintenant l'*Ancien Régime* s'élève à 3 milliards de livres et, depuis 1789, elle s'est augmentée d'un milliard. Voilà qui est énorme.

Où trouver l'argent? Certains se souviennent de l'idée exprimée avant la Révolution par Calonne, ministre de Louis XVI : pourquoi ne pas puiser dans la fortune de l'Église ? A-t-on besoin, pour prier Dieu, d'être le plus grand propriétaire du royaume ?

On n'a pas osé écouter Calonne, mais un grand nombre de *Cahiers de doléances* ont préconisé la même solution.

Un jour, un homme monte à la tribune de l'Assemblée. Il boite, il a le visage blême. Il s'agit de cet évêque d'Autun qui a célébré la messe à la fête de la Fédération : Talleyrand. Rien ne l'embarrasse jamais. Lui qui est prêtre propose le premier de transférer à l'État les biens du clergé. Autrement dit, il faut les *nationaliser*.

En compensation, l'État versera un salaire aux évêques et aux prêtres, il se chargera de l'entretien des églises, des couvents, des presbytères, etc.

Enchantée d'être débarrassée d'un problème qu'elle croyait insoluble, l'Assemblée adopte la proposition. La valeur de chaque bien d'église est estimée par des experts et, en compensation, des billets de banque de la même valeur — les *assignats* — sont mis en circulation.

Les jacobins paient ces femmes du peuple 40 sols par jour, pour venir avec eux à l'Assemblée. Là, elles doivent applaudir bruyamment leurs propositions ; un peu comme au spectacle ! Et, pour ne pas perdre de temps, elles apportent leur ouvrage de tricot ; d'où leur surnom ! L'une d'elles regarde, à droite, un jacobin clamant ses idées à la tribune.

La révolution dans l'église

La nouvelle façon de faire prêter le serment aux prêtres qui refusent : une corde passée dans une poulie leur fait lever la main droite, contre leur gré. Il s'agit, bien sûr, d'un dessin qui se moque de l'obligation de prêter le serment, fait par des adversaires de la constitution civile du clergé.

Les angoisses d'un roi chrétien

Jusque-là, le roi n'a pas manifesté de réelle opposition. Mais l'Assemblée va aller beaucoup plus loin. Elle décide de réorganiser l'Église de façon à la faire entrer dans le cadre de la nouvelle administration. Il y avait 134 évêques, il n'y en aura plus que 83, un par département. Les évêques et les curés, devenus de simples fonctionnaires, seront élus par le peuple. De tout cela, on se contentera d'informer le pape.

Grande est l'anxiété de Louis XVI, lui-même si profondément chrétien. A-t-il le droit d'approuver cette révolution dans l'Église ? Il interroge le pape Pie VI. Celui-ci tarde à répondre. Infiniment troublé, on peut dire la mort dans l'âme, le roi finit par donner son assentiment à la *Constitution civile du clergé.*

Aussitôt, les difficultés surgissent : des évêques dont le poste a été supprimé refusent de se retirer. Des conflits éclatent entre les anciens titulaires et les nouveaux curés élus. Pour mettre fin à ce désordre, l'Assemblée décide que tous les membres du clergé devront prêter serment « de veiller avec soin sur les Fidèles de leur diocèse, d'être fidèles à la Nation, à la Loi et au Roi, et de maintenir de tout leur pouvoir la Constitution décrétée par

l'Assemblée nationale et acceptée par le Roi ». Tous ceux qui refuseront de jurer seront déclarés démissionnaires et immédiatement remplacés.

Cette fois encore, après une manifestation populaire devant les Tuileries le lendemain de Noël 1790, le roi signe le décret.

Mais, pour lui, cette signature n'est qu'un geste accompli sous la contrainte. Il estime en conscience n'avoir pas le droit de forcer les serviteurs de Dieu à se plier à une organisation purement civile. Louis XVI en veut terriblement à ceux qui l'on amené à compromettre le salut de son âme.

— J'aimerais mieux être roi de Metz, dit-il, que de demeurer roi de France dans une pareille position !

Louis XVI, dès ce moment-là, est devenu l'ennemi de la Révolution.

Le drame va naître du fait que les Français vont vite le comprendre. C'est d'ailleurs ce que laissent entendre les journaux patriotes. Le plus sévère est l'*Ami du Peuple* de Marat qui dénonce ce qu'il appelle la trahison du roi. Dès le mois de décembre 1790, Marat avertit ses lecteurs que Louis XVI va chercher à fuir.

Fuir ? Et si c'était la solution ?

LE PAPE PIE VI

Il est vêtu de la soutane blanche, rebrodée d'or ; à la main droite, il porte « l'anneau du pêcheur », qui est en fait un sceau. Enfin, il est coiffé de la tiare pontificale décorée des trois couronnes, dont l'une symbolise son autorité morale sur les rois. Pie VI condamnera l'œuvre de la révolution, ce qui bouleversera Louis XVI.

Pour la première fois, le roi est insulté publiquement

Vers midi, le 18 avril 1791, le roi, la reine et leurs enfants montent dans le carrosse qui attend dans la cour des Tuileries.

Si le maire Bailly et le général La Fayette sont là, c'est pour saluer, au nom de la ville de Paris, la famille royale avant son départ. Comme l'année précédente, les souverains ont décidé de passer l'été au château de Saint-Cloud.

Les laquais referment la portière, le cocher lève son fouet. La lourde voiture s'ébranle, passe sous la voûte pour gagner la place du Carrousel.

Elle est encombrée de monde, cette place. Pourquoi ? Voici qu'un homme furieux s'élance et se saisit des guides des chevaux ! Le postillon proteste, veut forcer le passage. Aussitôt, la foule se précipite, encercle la voiture, forme en un instant un infranchissable barrage.

L'otage des Parisiens

La Fayette et Bailly accourent, effarés. Il y a là un bataillon de gardes nationaux qui assurent la garde du palais. La Fayette leur ordonne d'intervenir, de disperser la foule. Ils refusent d'obéir à leur général :

— Nous ne voulons pas qu'il parte ! Nous faisons serment qu'il ne partira pas !

Le roi passe la tête par la portière. Avec le calme qui ne l'abandonne jamais, il constate :

— Il serait bien étonnant qu'après avoir donné la liberté à la nation, je ne sois pas libre moi-même !

Un cri de colère lui répond :

— Assez, l'aristocrate ! Assez, le gros cochon !

Pour la première fois, on vient d'insulter publiquement le roi.

Si ces gens, ni meilleurs ni plus mauvais que d'autres, en sont venus là, c'est qu'ils sont réellement exaspérés. On connaît enfin la position du pape : il condamne catégoriquement la constitution civile du clergé. Quelle émotion, à travers la France ! Le pays se déchire en deux camps. Des évêques qui ont déjà prêté serment se retirent. Dans les villes et les villages les plus favorables à la Révolution, on occupe les églises pour interdire de célébrer la messe aux prêtres qui ont refusé de jurer : les prêtres *réfractaires*. Au contraire, en Flandre, en Alsace, dans l'Ouest, les paysans chassent les prêtres *jureurs* à coups de fourche.

Le carrosse est arrêté, place du Carrousel, cerné de tous côtés par la foule. La famille royale qui allait faire ses Pâques à Saint Cloud, comme l'année passée, est empêchée de partir ! Alors le roi sort la tête par la portière pour demander qu'on le laisse passer : en réponse, pour la première fois, il est insulté. Pendant deux longues heures, on parlemente ; en vain... Alors il faut se résigner : Louis XVI est vraiment l'otage des Parisiens.

Louis XVI sait tout cela. Il est accablé de chagrin. Sa sympathie va aux prêtres réfractaires parce que lui-même est profondément dévoué au pape. Mais il ne veut pas sembler aller contre l'opinion de son peuple. Comme Pâques approche, il va devoir communier. Les patriotes attachent la plus grande importance à son choix qui, selon eux, révèlera la pensée profonde du roi : recevra-t-il l'hostie d'un prêtre jureur ou d'un réfractaire ?

« Nous ne sommes plus libres ! », dit Marie-Antoinette

Longuement, Louis XVI hésite. En fin de compte, une idée lui vient. Il fait annoncer qu'il ira faire ses Pâques loin de tous les regards, au château de Saint-Cloud. C'est exactement comme s'il proclamait qu'il a choisi pour communier un prêtre réfractaire : sinon pourquoi se cacherait-il ?

Marat dénonce aussitôt le projet du roi et Danton, au club des Cordeliers — plus violent que le club des Jacobins — s'écrie que le voyage à Saint-Cloud n'est autre que le prélude d'un vaste complot contre la Révolution !

Voilà pourquoi une foule exaspérée s'est portée place du Carrousel, déterminée à empêcher le roi de quitter son palais.

La fuite à Varennes

Deux gravures datant de la constitution civile du clergé. Elles ont été faites par les partisans de la constitution, et montrent deux prêtres. Le prêtre « patriote », en haut, prête le serment : il est bien vêtu, bien nourri et comme récompense de sa bonne conduite, le chapeau d'évêque plane au-dessus de sa tête. Dessous, le prêtre réfractaire, — ou « aristocrate » —, refuse de prêter serment. Il s'enfuit dans les campagnes, maigre et frileux. Il n'a plus le droit de célébrer la messe : de sa poche dépasse le mot « où aller ! ».

Près du carrosse, La Fayette se montre de plus en plus réprobateur. Depuis quelques mois, il a suivi la même évolution que Mirabeau, le grand tribun qui vient malheureusement de mourir. Il reste démocrate, mais ce qui l'emporte chez lui, c'est la soif de l'ordre. Après une révolte de la garnison de Nancy, qui protestait parce qu'on ne payait pas sa solde, il a approuvé, au nom de la discipline militaire, la terrible répression ordonnée par le marquis de Bouillé, son cousin.

La Fayette propose à Louis XVI de recourir à la force armée pour dégager le passage.

— Je ne veux pas qu'on verse le sang pour moi, répond le roi.

Telle est l'obsession de cet honnête homme : ne pas faire couler le sang.

Deux heures passent. Deux heures effroyables pendant lesquelles le carrosse royal demeure assiégé. Et puis, la portière s'ouvre. De son pas pesant, le roi descend.

— On ne veut donc pas que je sorte ?

Seul lui répond un oppressant silence. Il insiste :

— Il n'est pas possible que je sorte ?... Eh bien, je vais rester.

Sous les regards méprisants de la foule, il regagne le château. Quand Marie-Antoinette monte avec lui les marches du perron, elle lance à son adresse, désespérée autant que furieuse :

— Vous avouerez à présent que nous ne sommes plus libres !

Un instant plus tard, le roi lui fait part de sa décision : ils partiront dès qu'ils le pourront pour Montmédy rejoindre les troupes du marquis de Bouillé.

La famille royale s'enfuit dans la nuit

Le 21 juin 1791, à 7 heures du matin, le valet de chambre Lemoine s'approche comme chaque jour du lit du roi :

— Sire, il est 7 heures.

Comme il ne reçoit aucune réponse, il écarte les rideaux qui, à cette époque, encadrent tous les lits. Personne !

Le roi, la reine, leurs deux enfants, Madame Élisabeth, sœur du roi, se sont enfuis au cours de la nuit. Ils roulent vers la frontière dans une berline peinte en jaune et vert, tirée par six robustes chevaux.

Tout a été minutieusement mis au point. On a réussi à tromper la vigilance de la garde à demi endormie. On dispose de

faux papiers. La reine est devenue une certaine baronne de Korff, une étrangère «allant de Francfort, dit son passeport, avec deux enfants, une femme, un valet de chambre et trois domestiques». Savez-vous qui joue le rôle du valet ? Le roi !

À Paris, dès que l'on apprend la fuite de Louis XVI, la foule se précipite aux Tuileries. On répète avec ahurissement :

— Le roi et la reine sont partis !

La Fayette accourt. Il donne l'ordre d'envoyer des estafettes sur toutes les routes à la poursuite du roi. Mais voici que s'avance un homme de haute taille, l'air d'un portefaix, le visage comme taillé à coups de serpe : c'est Danton à la tête de ses cordeliers. Il hurle :

— M. de La Fayette, vous nous avez répondu du roi sur votre tête : il nous faut le roi ou votre tête !

La berline a plusieurs heures d'avance. Mais elle est trop lourde, on a emporté trop de bagages. Lorsque se présente une côte, on doit descendre pour soulager les chevaux et la gravir à pied. Peu à peu, les estafettes se rapprochent.

À Sainte-Menehould, au relais de poste où l'on change les chevaux, le jeune maître de poste Drouet laisse partir la voiture. Quelques instants plus tard, un messager épuisé se présente et annonce que le roi est en fuite.

Il n'en faut pas plus à Drouet qui saute à cheval et, à travers champs, s'en va au bourg de Varennes prévenir le procureur de la commune, l'épicier Sauce, du passage prochain de la famille royale. À tout prix, il faut l'arrêter !

Les étapes de la fuite de la famille royale. Ci-dessous à gauche : le village de Sainte-Menehould (Département de la Marne) et l'emplacement de l'ancienne maison du maître de poste, Drouet. Les maîtres de poste étaient des sortes de «garagistes» de l'époque : ils abreuvaient les chevaux, en mettaient de nouveaux à la place des précédents, réparaient les berlines. Après l'arrêt obligé au relais de poste, la famille royale poursuit sa route vers Varennes, en photo ci-dessous. C'est là que sa fuite s'achève ; la berline est arrêtée par un barrage, sur un pont, à la sortie du village.

L'espoir du roi s'écroule

Ci-dessus, la maison où Louis XVI prit son repas, en début d'après-midi, au village de Chaintrix. C'était déjà le dixième relais de poste. Ci-dessus au centre : à la sortie de Chaintrix, le petit pont sur une borne duquel une roue de la berline buta ; il fallut s'arrêter pour réparer. Photo de droite ; Varennes où l'on peut encore voir, à gauche, l'église Saint-Gengault. C'est à cet endroit précis que la voiture fut arrêtée par une barricade ; le monument, à droite, a été élevé sur l'emplacement de la maison de Sauce, où la famille royale passa la nuit.

L'arrestation à Varennes et le retour humiliant

Tout autour de la petite ville se trouvent les hussards de Bouillé qui attendent le roi pour l'escorter jusqu'à Montmédy. Quand la voiture se présente, il leur suffirait de charger les paysans qui encombrent les rues. Le roi et sa famille seraient sauvés. Par suite d'une incroyable succession d'erreurs, les hussards n'interviennent pas.

On arrête la voiture. On contraint la famille royale à se rendre chez l'épicier Sauce. Drouet se présente :

— Bonjour, Sire, dit-il.

Deux mots qui, à eux seuls, annoncent la fin de la monarchie.

Le lendemain, quand la famille royale grimpe dans sa voiture, elle voit autour d'elle 6000 gardes nationaux accourus de la région entière. Leur présence démontre la force du courant révolution-naire en France. On va rouler au milieu de plusieurs milliers de paysans armés de sabres, de faux, de fusils, de haches. Parce qu'ils ont retrouvé leur roi, ils croient la Révolution sauvée.

Cette foule clame tantôt sa joie, tantôt sa haine : ce dernier sentiment est nouveau en France. Au village de Chouilly, on crache au visage du roi. À Épinay, on déchire la robe de la reine de haut en bas.

Et l'Assemblée ? Pour ne pas accabler le roi qu'elle veut conserver, elle a fait annoncer que Louis XVI avait été enlevé ! Naturellement, personne n'est dupe. Quand la berline jaune et verte s'avancera dans Paris, ce sera entre deux rangs de Parisiens

muets. Sur les murs, cette affiche : « Celui qui applaudira le roi sera bâtonné, celui qui l'insultera sera pendu. »

Aux Tuileries, La Fayette attend le roi. Le général, comme si rien ne s'était passé, demande les ordres de Sa Majesté. Louis XVI éclate d'un rire qui ressemble à un sanglot.

Pour défendre la République

— Je demande que l'on proclame la République et que l'on juge le roi !

L'homme qui, à la tribune du club des Cordeliers, prononce de sa voix de tonnerre ces terribles paroles, c'est Danton. Une foule en délire l'acclame.

Je suis sûr que vous venez de plaindre Louis XVI. Il vous faut comprendre maintenant ces Français bouleversés par le départ clandestin — la désertion, disent-ils — d'un roi qu'ils continuaient à aimer. Beaucoup redoutent que les adversaires de la Révolution, les nobles surtout, d'accord avec les rois étrangers et les émigrés qui ont quitté la France, se servent de Louis XVI pour anéantir les Droits de l'homme, auxquels ils sont attachés autant qu'à leur vie. Comment les bourgeois admettraient-ils d'être de nouveau seuls à payer les impôts ? Comment les paysans accepteraient-ils d'aller comme avant travailler pour rien sur les routes ?

Pour tous ces Français-là, remettre en cause la liberté et l'égalité serait un véritable crime. Ils sont prêts à tout pour l'éviter.

*Ci-dessous : un assignat de
trois cents livres. Le médaillon
du centre représente Louis XVI
de profil.*

Des débuts difficiles

On voit à cette époque des paysans s'armer ainsi qu'au temps de la grande peur. Partout, on dénonce les nobles et les prêtres réfractaires comme des ennemis du peuple. On dresse des tentes dans les jardins des Tuileries : des patriotes montent la garde jour et nuit pour éviter une nouvelle fuite du roi. L'Assemblée elle-même vote un décret qui mobilise 100 000 hommes pour défendre aussi bien le pays que la Révolution.

Le restaurant « le Robespierre » — rue Saint-Honoré — est situé au rez de chaussée de l'immeuble occupé, en 1791, par le menuisier Duplay. C'est chez celui-ci que Robespierre se réfugia pour ne pas être arrêté et qu'il habita jusqu'à sa mort. On le soupçonnait d'être en partie responsable de l'émeute du Champ de Mars, et de chercher à semer le désordre.

Cinquante morts sur le Champ-de-Mars

— Nous voulons la République !

Ce cri est repris en chœur par les milliers de Parisiens qui marchent vers le Champ-de-Mars pour réclamer l'abolition de la monarchie. Ils veulent déposer une pétition sur l'Autel de la Patrie, toujours en place depuis la fête de la Fédération. Ces manifestants, lorsqu'ils arrivent sur l'esplanade, trouvent des soldats envoyés par La Fayette et Bailly. Toujours la même obsession : assurer l'ordre. Interdit d'aller plus loin ! La foule avance quand même.

Un ordre bref : les soldats ouvrent le feu sur la foule désarmée. C'est l'horreur : les balles qui frappent aveuglément, les hurlements d'effroi, les hommes et les femmes qui tombent, les autres qui fuient en désordre...

On va relever sur la terre ensanglantée 50 morts et des centaines de blessés.

Un fossé vient de se creuser entre les partisans d'une révolution modérée — la majorité des députés — et ceux qui veulent aller plus loin. On cherche à arrêter ceux qu'on appelle les meneurs. Mais Danton réussit à fuir en Angleterre, Marat se cache dans un souterrain et Robespierre, lui, quitte son appartement pour se réfugier rue Saint-Honoré chez le menuisier Duplay. Vous pouvez toujours voir sa maison où s'est installé aujourd'hui un restaurant : *Le Robespierre*.

Quant à l'Assemblée, elle ne pense plus qu'à terminer son œuvre. Elle met la dernière main à la Constitution. Le 3 septembre 1791, celle-ci est présentée au roi qui l'accepte avec un apparent bonheur, en réalité le désespoir au cœur.

— Sire, s'écrie le président de l'Assemblée, Votre Majesté a fini la Révolution !

Rien de plus sincère que la joie qui éclate partout. Le soir, à Paris, on illumine. À l'Opéra, on acclame le roi et la reine.

Serait-il vrai, après tant d'affrontements, que la Révolution et la Monarchie soient définitivement réconciliées ?

Non. Pour Louis XVI, ce n'est qu'un sursis.

745 nouveaux députés sans expérience

Cette foule attroupée, le 30 septembre 1791, dans le jardin des Tuileries, a voulu assister à la sortie des députés qui viennent de tenir leur dernière séance. L'Assemblée constituante fait place à l'Assemblée législative prévue par la Constitution.

Le flot des députés s'écoule lentement entre deux rangs de spectateurs qui cherchent à les reconnaître. Jusqu'ici, aucun d'entre eux n'a provoqué de manifestation. Mais quand apparaît Robespierre, la foule l'acclame et l'applaudit frénétiquement.

— Vive Robespierre !

Les autres députés, un peu jaloux, s'étonnent. Ils ne croyaient pas leur collègue si populaire. Ils devraient comprendre que le peuple est surtout reconnaissant à celui qu'il appelle l'*Incorruptible* d'avoir, contre vents et marées, soutenu que tous les Français, les pauvres comme les riches, devaient pouvoir voter. Il n'a pas été entendu. L'Assemblée a décrété que seuls les citoyens payant une certaine somme d'impôts, donc les plus riches, auraient le droit de vote. Les autres — 3 millions de Français ! — ont été, non sans mépris, désignés comme des *citoyens passifs* et écartés du scrutin.

Passifs, peut-être, mais ils montrent, en acclamant Robespierre, qu'ils n'oublient pas leurs véritables amis. Et bientôt, quand ils se mettront en colère, beaucoup trembleront en France.

Le lendemain, les 745 députés de la Législative découvrent la salle du Manège. Tous, ils sont fiers et heureux, mais ne peuvent s'empêcher de montrer quelque embarras, car aucun d'eux n'a siégé dans la précédente Assemblée : ainsi en a décidé la Constituante. Un avenir proche prouvera que, par souci de manifester son désintéressement, elle a commis une grave erreur. Ceux qui s'en vont avaient, au fil des mois, acquis une réelle connaissance des affaires. Ceux qui arrivent n'en ont aucune.

Regardez-les gagner leurs bancs, ces nouveaux élus. Parmi eux, pas un seul partisan de l'Ancien Régime. Les modérés — que l'on appelle *Feuillants* — s'installent à droite ; ils réclament

Maximilien de Robespierre n'est plus le collégien de 18 ans que nous avions vu au début. Il est plus âgé ; il a mûri ; il a continué à défendre ses idées, toujours les mêmes : il ne veut plus de la monarchie, il veut la République. On l'a déjà surnommé « l'incorruptible » ; le peuple parisien commence à bien le connaître et à l'acclamer lorsqu'il paraît en public.

La France entre en guerre

Une séance au club des Jacobins. Au centre de la pièce deux poêles remplacent les cheminées. Les Jacobins sont très agités, car ils ne sont pas d'accord entre eux. Par moquerie, l'un d'eux baisse même son pantalon ! En fait, il s'agit ici d'une gravure satirique, c'est-à-dire d'un dessin qui se moque et ridiculise le club. À la façon des bandes dessinées, des « bulles » de texte sortent de la bouche des personnages.

l'application pure et simple de la Constitution. Ils ont des chefs — La Fayette, Lameth — mais ceux-ci ne font pas partie de l'Assemblée.

Au centre, voici les « indépendants » qui, selon l'occasion, flotteront d'un côté vers l'autre. À gauche viennent s'asseoir les députés les plus ardents de la nouvelle Assemblée, ceux qu'on nommera plus tard les *Girondins* parce que les plus brillants d'entre eux — comme Vergniaud — ont été élus à Bordeaux. Leur chef, le journaliste Brissot, n'en est pas moins parisien.

À l'extrême-gauche enfin, voici les révolutionnaires les plus prononcés, tels que Chabot — un ancien moine capucin — et Basire.

La France va entrer en guerre pour 23 ans

Les uns comme les autres, si différents qu'ils soient, ne vont pas avoir à attendre longtemps pour affronter un redoutable problème : faut-il ou non faire la guerre à ces souverains — l'empereur

d'Autriche, le roi de Prusse — qui ne cessent de répéter que, si l'on attaque la personne du roi, ils enverront leurs armées mettre à la raison les Français *rebelles* ?

Les Girondins se montrent si persuadés des bienfaits que peut apporter la Révolution française qu'ils n'hésitent pas à réclamer hautement cette guerre.

— Elle affranchira l'Europe, s'écrient-ils dans de magnifiques envolées, des tyrans qui l'asservissent !

Autrement dit, ils voudraient que, partout où il y a des rois, on fasse la même révolution qu'en France.

Je vais vous étonner : le plus chaud partisan de cette guerre contre les rois va être Louis XVI ! Cette attitude qui, à première vue, vous parait incroyable, vous allez voir qu'en fait elle s'explique fort bien.

Louis XVI est sûr que les armées révolutionnaires, privées d'un grand nombre de leurs officiers qui ont émigré et que ravage l'indiscipline, seront écrasées dès les premières batailles par les troupes autrichiennes et prussiennes.

— L'état de la France, dit-il, est tel qu'il lui est impossible de soutenir une demi-campagne.

Marie-Antoinette n'oublie pas qu'elle est la sœur de l'empereur d'Autriche. Elle s'exclame de son côté avec une joie qu'elle ne songe pas à cacher :

— Les imbéciles, ils ne voient pas que c'est nous servir !

En somme, si le roi et la reine veulent la guerre, c'est pour que la France la perde. Une telle position nous paraît aujourd'hui indéfendable. Il faut que vous sachiez cependant que les souverains, en ce temps-là, estiment souvent appartenir à ce qu'ils appellent la *Famille des rois*. N'oubliez pas que Louis XVI a été élevé dans la certitude qu'il incarnait lui-même la France. Ses défenseurs affirment que, pour lui comme pour les émigrés, sauver le roi, c'était sauver la France. Vous comprendrez aussi que beaucoup de Français n'aient pas accepté un tel raisonnement.

Un seul homme politique voit clair et dénonce avec force le danger que court la Révolution si l'on déclare la guerre : c'est Robespierre. On se moque de lui. Le roi vient en personne à l'Assemblée et, longuement acclamé, déclare la guerre à l'Autriche. Les députés l'approuvent à l'unanimité moins sept voix. Comment se figureraient-ils que cette guerre dans laquelle ils se lancent avec tant de légèreté va durer vingt-trois ans ?

Elle ne s'achèvera qu'en 1815 à Waterloo : la dernière bataille de Napoléon.

Le 20 juin 1792, la foule arrivée du faubourg Saint-Antoine, a enfoncé les portes du château des Tuileries pour monter voir le roi. C'est un véritable défilé dans les appartements de Louis XVI qui dure de deux heures de l'après-midi à dix heures du soir. Mais le roi ne cède pas : il ne lève pas son veto.

Le roi oppose son veto

Le roi coiffé du bonnet rouge. Ce bonnet, en effet, est devenu, depuis peu, le signe de ralliement des patriotes. Ce sont eux qui le lui ont fait mettre, lors du défilé dans ses appartements, le 20 juin. Il a aussi bu du vin rouge, avec eux, à la santé de la patrie. On le voit prononcer : « vive la nation ».

Monsieur et Madame Veto

— Trahison ! Trahison !

Ceux qui poussent ce cri sont des soldats français. À la frontière du Nord, ils refluent en désordre, semblant donner raison à Louis XVI. Dès sa première rencontre avec l'ennemi, l'armée française a perdu pied.

Furieux, désespéré, le général Dillon veut arrêter cette déroute irraisonnée. Il s'interpose. « Trahison ! », hurlent encore les soldats pour se donner bonne conscience. Et ils mettent à mort leur général !

— Trahison !

Le même cri retentit à Paris sur les boulevards. On accuse le roi, la reine, de faire cause commune avec l'ennemi. Cette accusation nous paraît invraisemblable. Hélas, elle est exacte. Marie-Antoinette a communiqué elle-même aux Autrichiens les plans d'attaque français.

L'Assemblée se méfie de plus en plus de Louis XVI. Par décret, elle dissout sa garde. Elle décrète la formation autour de Paris d'un camp de 20 000 fédérés. Elle condamne à l'exil les prêtres réfractaires qu'elle accuse de diriger secrètement une révolte contre la France révolutionnaire.

Il faut maintenant, pour que ces décisions soient valables, que le roi les *sanctionne*. Il accepte le licenciement de sa garde, mais oppose son veto aux deux autres décrets.

Le veto ! Voilà qui donne raison à tous ceux, comme Desmoulins, qui avaient toujours dénoncé le danger d'accorder une telle puissance au roi. Sur ce mot de veto, le peuple de Paris s'enflamme. Le roi devient *Monsieur Veto* et la reine *Madame Veto*. On chante :

> *Madame Veto avait promis*
> *De faire égorger tout Paris...*

L'armée française est sur la frontière du Nord. À la première attaque de l'ennemi, la panique s'empare des soldats. De fait, beaucoup d'officiers ont émigré. Ceux qui sont là n'ont jamais combattu et sont d'une totale inexpérience. Les seuls officiers qui pourraient encadrer, soutenir et commander les troupes sont trop peu nombreux.

Le roi doit coiffer le bonnet rouge

Quand on apprend que le roi a renvoyé le ministère girondin dans lequel siégeait Roland — mari de cette Manon Phlipon dont vous avez fait la connaissance au premier chapitre — une foule énorme s'ameute autour de Santerre, un brasseur du faubourg Saint-

Antoine. Elle marche sur les Tuileries, enfonce les portes, s'élance par le grand escalier jusqu'au premier étage où attend le roi.

On l'insulte, on le menace. À aucun moment, il ne se départira de sa dignité. On lui dit qu'on va le tuer. Il répond :

— Je n'ai pas peur. J'ai communié ce matin.

L'émeute défile devant lui en hurlant :

— Point de veto ! Rappelez les ministres !

Il est là, debout, pressé contre un mur. Il regarde sans haine ces hommes et ces femmes qui l'injurient. On lui présente ce bonnet rouge qui, depuis quelque temps, est devenu le signe de

Allons enfants de la patrie...

Cette scène illustre la naissance de « la Marseillaise ». Le jeune capitaine Rouget de Lisle vient de composer un chant de guerre pour l'armée du Rhin qu'il chante avec passion devant Dietrich, maire de Strasbourg. Ce chant, repris peu après par les volontaires venant de Marseille à Paris sera surnommé... La Marseillaise !

ralliement des patriotes. Il le pose sur sa tête. On lui offre un verre de vin rouge. Il le vide en buvant à la santé de la Nation. Mais il ne cède pas. Il dit seulement :

— Je ferai ce que la Constitution m'ordonne de faire.

La foule n'acceptera de quitter le palais que trois heures plus tard, quand le nouveau maire Petion surviendra — enfin.

Ce n'est là qu'un répit. Le 20 juin 1792 va figurer dans l'Histoire comme une répétition. Celle du 10 Août.

Comment est née *la Marseillaise*

Que chantent-ils, ces hommes qui s'avancent, en uniforme de gardes nationaux, sur la route de Marseille à Paris ?

Allons enfants de la patrie
Le jour de gloire est arrivé...

C'est le *Chant de guerre pour l'armée du Rhin*. Un jeune officier, le capitaine Rouget de Lisle, l'a composé et l'a chanté pour la première fois, le 26 avril 1792, chez le maire de Strasbourg, Dietrich. L'ardeur guerrière que recèlent ces vers et cette musique a depuis enflammé tous ceux qui les ont connus. En particulier ces fédérés partis de Marseille pour rejoindre à pied le camp prévu près de Paris par l'Assemblée. Tout le long de leur route, ils le chantent. C'est pourquoi, désormais, on appellera le chant de Rouget de Lisle *la Marseillaise*.

Comme tout va aller vite !

Les Prussiens, alliés des Autrichiens, concentrent leurs troupes. C'est l'*invasion*. Jamais le péril n'a été aussi imminent. L'Assemblée proclame la *Patrie en danger*. Une extraordinaire ferveur soulève les Français. Les volontaires affluent : 15 000 en une semaine !

Le 1ᵉʳ août parvient à Paris une proclamation qu'a signée le duc de Brunswick, chef de l'armée prussienne. Sur un ton insupportable, il menace de détruire Paris si les habitants se permettent le plus petit outrage à l'égard de la famille royale.

C'est exactement comme si l'on avait agité un chiffon rouge sous le nez d'un taureau. En fait, le « manifeste de Brunswick » va mettre le feu aux poudres.

Le 9 août, au nom des sections de Paris, Pétion vient demander à l'Assemblée la déchéance du roi. Le même jour, dans la soirée, le tocsin se met à sonner. À la tête de représentants des sections, Danton prend d'assaut l'Hôtel de Ville et y installe une *commune insurrectionnelle*.

L'aube du 10 août est à peine levée quand, de tous les quartiers, de tous les faubourgs, on s'élance vers les Tuileries. Parmi ceux qui marchent derrière les tambours qui battent, il y a les fédérés marseillais arrivés depuis peu. Pour la première fois, *la Marseillaise* retentit dans les rues de la capitale.

Attablés devant une bouteille de vin, des patriotes et des soldats fédérés chantent avec ardeur « l'hymne des marseillais », de Rouget de l'Isle qui sera emprisonné sous la Terreur.

Le 10 août 1792, la mort de la monarchie

Depuis la veille, le roi sait que son palais va être attaqué. Il sait aussi qu'il ne peut compter sur la garde nationale pour le défendre. Autour de lui, il n'est sûr que d'un millier de gardes suisses, de gendarmes et de quelques centaines de gentilshommes.

Toute la nuit, le roi attend l'assaut. Entre 6 et 7 heures du matin, il descend dans la cour du Carrousel pour tenter de convaincre les canonniers de la garde nationale de lui venir en aide. Il ne recueille que des injures.

— À bas le veto! À bas le gros cochon!

Il balbutie :

— J'aime la garde nationale…

Et, livide, désespéré, il se retire. Le flot des assaillants approche. Un homme vêtu de noir accourt : c'est Roederer, le procureur-syndic de la capitale. Il supplie le roi, pour éviter le pire, d'abandonner le palais et de se réfugier avec sa famille au sein de l'Assemblée, dans la salle du Manège.

Le roi regarde Roederer fixement pendant quelques secondes. Il se tourne vers la reine qui, silencieuse, est à ses côtés. Il dit simplement :

— Marchons.

Le soleil inonde maintenant le jardin des Tuileries. Encadré par des gardes nationaux, le roi marche le premier. Derrière lui, la reine qui pleure tient son fils par la main. Derrière encore, s'avancent la petite Madame Royale, Madame Élisabeth, la princesse de Lamballe, Mme de Tourzel, gouvernante des enfants royaux, et les ministres.

Quand la famille royale fait son entrée dans la salle de l'Assemblée, Louis XVI déclare aux députés silencieux :

— Je suis venu ici pour éviter un grand crime et je pense que je ne saurai être plus en sûreté qu'au milieu de vous.

Le roi et la reine ne recouvreront jamais la liberté. La monarchie est morte.

Page de gauche : Marie-Antoinette avec ses enfants. Ce tableau date de 1787, avant les premiers événements révolutionnaires. La reine a eu en tout quatre enfants : Marie-Thérèse — Madame Royale —, debout, lui tenant le bras ; le dauphin, qui va mourir le 4 juin 1789, debout, près du berceau vide ; Louis, futur dauphin, celui que nous connaissons, assis sur les genoux de sa mère ; enfin, le berceau vide rappelle le dernier enfant de la reine, la petite Madame Sophie, qui vient de mourir.

LA RÉPUBLIQUE

L'attaque du château des Tuileries

Voici l'explication du dessin de la double page précédente. Tout à fait à gauche, ce donjon médiéval, c'est la tour du Temple où la famille royale est prisonnière depuis le 13 août 1792. À ce moment-là, la France est en guerre et il faut se battre. Des affiches, comme celle représentée en bas à gauche, appellent tous les Français à s'engager dans l'armée : c'est l'enrôlement des volontaires. En outre, il faut des fusils, pour armer ces soldats. Dès août 1792, une fouille est organisée dans toutes les maisons pour trouver des armes, comme on peut le voir dessiné en bas, à côté de l'affiche. L'affrontement entre les troupes françaises et les armées ennemies a lieu le 20 septembre 1792, sur une colline, surmontée d'un moulin à vent, et nommée Valmy ; c'est la scène de bataille représentée au centre à gauche du dessin. Le général français, Kellerman, son chapeau sur la pointe de son épée, entraîne ses hommes, au cri de « Vive la nation ! ». Et, pour la première fois, une armée révolutionnaire gagne ! Elle a battu un grand général prussien, le duc de Brunswick ; son portrait domine la bataille, au centre. Le jour même de cette victoire, la république est proclamée en France. Les Conventionnels réclament l'élimination du roi. On le voit (en haut) lors de son procès. Louis XVI est guillotiné le 21 janvier 1793. Il est représenté tel qu'il devait être ce jour-là : encore jeune — 38 ans —, les cheveux coupés, et criant : « Français, je meurs innocent ». Deux hommes ont joué un rôle déterminant dans ces événements : Georges Danton et Louis Saint-Just, dont on peut voir les portraits en haut, à gauche.

Sur la terrasse des Tuileries, un jeune officier, petit et très maigre, avec de longs cheveux noirs qui lui battent les oreilles, regarde Louis XVI s'avancer sans résistance vers l'Assemblée. Méprisant, il lance :
— *Che coglione !*

Ce mot corse peut se traduire par « imbécile » ou, mieux encore — que vos parents me pardonnent ! —, par « couillon ». Car ce jeune capitaine est né à Ajaccio. Il se nomme Bonaparte.

Ce matin-là, 10 août 1792, il est venu en curieux. La foule l'a même arrêté un instant et l'a invité à crier : « Vive la Nation ! » Il a obtempéré, car il n'est nullement royaliste. Maintenant, il dévore des yeux le spectacle : les patriotes en armes qui, par milliers, ne cessent d'affluer en chantant vers le château ; les Suisses qui, dans un ordre impeccable, leur font face et les menacent de leurs fusils ; les patriotes qui leur crient :
— Rendez-vous !
Et les Suisses qui répondent :

— Nous serions déshonorés !

Espérant empêcher le pire, deux d'entre eux ne s'en avancent pas moins pour parlementer. Aussitôt, des hommes dont le métier est d'amener par la Seine à Paris le bois de chauffage — les « flotteurs de bois » — les agrippent avec les crochets qu'ils ont apportés. Voilà les deux Suisses immobilisés. Furieux, les autres crient qu'on leur rende leurs camarades. Comme ils s'expriment en allemand, les assaillants — Marseillais, Brestois, gens du faubourg Saint-Antoine et de la section des Cordeliers — ne font qu'en rire.

Soudain, du côté suisse, un coup de feu part. Puis un autre. En quelques secondes la fusillade crépite. Le tir vient de tout le château, notamment du premier étage. Il s'abat sur cette foule abasourdie qui ne sait trop comment répondre. Le premier tué n'est autre que Moisson, le commandant du bataillon des Marseillais, accouru à Paris avec tant d'enthousiasme pour sauver la patrie.

La bataille fait rage devant le château des Tuileries. Les gardes nationaux, en uniforme bleu, tirent au canon pendant que la foule, armée de hallebardes, passe à l'attaque. Les Suisses, en uniforme rouge, se sont réfugiés dans le palais. Ils seront massacrés. À la fin de la matinée, on comptera en tout plus de 1000 morts.

Une tragique journée

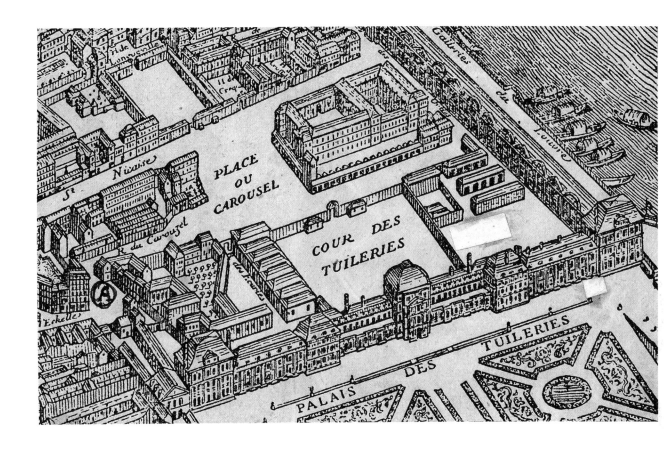

Ce plan représente le palais des Tuileries et les quartiers voisins, comme ils étaient lors de l'attaque du 10 août 1792. Le château s'étale en longueur, jusqu'à la Seine. Les assaillants sont arrivés par la place du Carrousel, puis il ont pénétré dans la cour des Tuileries. Ce palais sera incendié par des émeutiers en 1871. C'est là que se déroule la scène de bataille de la page précédente.

Sur le pavé de la cour que le sang rougit, gisent déjà une centaine de blessés et de morts. Les autres, épouvantés, se replient en désordre. Les Suisses les poursuivent. Le peuple a-t-il perdu la partie ? Non ! Il suffit de l'arrivée d'une nouvelle colonne de patriotes pour que la situation se retourne. Les fuyards reprennent courage, repartent à l'assaut des Tuileries. Les Suisses sont repoussés. À leur tour de fuir vers le château où ils se réfugient.

Pour la prise du palais, quelle féroce bataille !

Longtemps elle fait rage. On se bat pour un vestibule, un escalier, un salon. C'est alors que quelque chose de stupéfiant arrive : les Suisses ont cessé le feu. Pourquoi ? En fait on vient de leur apporter un ordre que le roi, toujours réfugié à l'Assemblée, a signé. Il leur commande de mettre fin au combat et de se « retirer dans leurs casernes ».

Dans leurs casernes ? Sans doute les infortunés Suisses éclate-raient-ils de rire s'ils en avaient le temps. Ils n'ont que celui d'obéir. À peine ont-ils mis bas leurs armes qu'ils sont cernés, saisis, frappés, massacrés.

Les autres défenseurs du château — gentilshommes, gardes du corps — sont poursuivis, rejoints, abattus. On va plus loin et l'on égorge jusqu'à des cuisiniers. On abat des amis de la liberté comme Clermont-Tonnerre, l'un des premiers à s'être rangé, aux états généraux, sous la bannière des Droits de l'homme.

Voici les victimes de l'attaque du Palais des Tuileries. Avant d'être emmenés, les cadavres sont déshabillés : les uniformes, ainsi récupérés, seront réutilisés. Puis les corps sont hissés sur des charrettes, pour être acheminés au cimetière.

Bonaparte s'avance parmi les cadavres

Terrible bilan ! Du côté des assaillants, 376 ont trouvé la mort : un quart de fédérés, tous bourgeois de province, accourus à Paris au secours de la liberté menacée ; le reste composé de Parisiens, petits commerçants, artisans, salariés qui ont donné leur vie pour cette même liberté. Du côté des défenseurs, on compte 800 morts.

Vous vous souviendrez du 10 août 1792. Parce que c'est ce jour-là que va prendre forme ce qui n'était, un an plus tôt, que le rêve d'une poignée de Français : la République.

L'arrestation du roi

Les Français patriotes ont tremblé parce qu'ils ont cru que Louis XVI mettait en péril les conquêtes révolutionnaires. Ils estiment qu'un roi est désormais un danger pour la liberté. Donc, plus de roi. Ces Français-là raisonnent simplement mais logiquement quand ils crient : *Vive la République* !

La Commune et l'Assemblée

Dans sa chambre, cour du Commerce — non loin de l'actuel carrefour de l'Odéon — Georges-Jacques Danton dort profondément.

Depuis le 9 au soir jusqu'au 10 tard dans la nuit, sans prendre une minute de repos il a, de toute sa force et de toute son éloquence, animé l'action torrentielle de la nouvelle Commune.

Le roi a été arrêté. Le 13 août 1792, il est conduit, avec sa famille, à la tour du Temple : au-dessus de leur carrosse se dresse le sinistre donjon qui va devenir leur prison.

Son but : faire de ce rassemblement de purs révolutionnaires un pouvoir assez redoutable pour imposer, fût-ce par la force, sa volonté à une Assemblée législative absolument désemparée.

Dès le 10 août, à 11 heures du matin, une délégation de la Commune paraît à la barre de l'Assemblée législative. Son porte-parole parle haut et clair : le peuple de Paris ne veut plus de l'Assemblée. Il faudra sans tarder procéder à de nouvelles élections !

Les députés baissent la tête. Ils acceptent de convoquer une autre assemblée, une *Convention*, élue — enfin ! — au suffrage universel par l'ensemble des citoyens actifs et passifs. Quant au roi, l'Assemblée déclare que ses pouvoirs sont « suspendus » et qu'il sera conduit, avec sa famille, au palais du Luxembourg.

Pauvres députés ! Ils comprennent vite qu'ils ne sont plus les maîtres. La Commune estimera que le Luxembourg est une résidence trop luxueuse pour le « tyran ». Elle décrétera que la famille royale sera emprisonnée dans la tour du Temple, un sinistre donjon datant du Moyen Âge.

C'est tout cela qu'a vécu Danton. Il a contribué à faire mourir un monde ancien. Il a présidé à la naissance d'une France nouvelle. À la chute du jour, il est rentré chez lui épuisé. Il s'est écroulé sur son lit et, sur-le-champ, s'est endormi.

À 3 heures du matin, la porte de sa chambre s'ouvre brusquement. Deux hommes s'élancent vers le lit et se mettent à secouer le dormeur. Ahuri, Danton ouvre les yeux. Il reconnaît ses amis Camille Desmoulins, le journaliste, et Fabre d'Églantine, un poète, auteur d'une chanson célèbre : *Il pleut bergère*. Il murmure :

— Quoi ? Qu'est-ce qu'il y a ?

Les autres, au comble de l'exaltation, lui répondent en même temps :

— Tu es ministre !

Il n'en croit pas ses oreilles. Plusieurs fois, il demande :

— Vous en êtes bien sûrs ?

Ils éclatent de rire. L'Assemblée a décidé de nommer un *Conseil exécutif* — autrement dit un gouvernement — de six membres. Non seulement Danton est nommé ministre de la Justice, mais il a été désigné comme ministre principal. C'est lui qui conduira la politique du gouvernement.

Danton saute de son lit, s'habille en toute hâte, court à l'Assemblée, prête serment et s'en va aussitôt s'installer, place Vendôme, dans le faste et sous les ors que la monarchie accordait à ses grands serviteurs.

Voici des instruments de géométrie et un livre ayant servi à Louis XVI, pendant sa captivité à la tour du Temple. Passionné de géographie et de sciences, le roi, prisonnier, donnait de nombreuses leçons à son fils.

La Commune contre l'Assemblée

Danton au pouvoir

Il faut que vous imaginiez Danton dans son cabinet ou à la tribune : colossal, d'une taille si haute qu'il domine toute l'Assemblée, des épaules d'athlète, la face labourée dès l'enfance par les cornes de deux taureaux et plus tard ravagée par la petite vérole. Il ne parle pas, il tonne. Ses clameurs font trembler les vitres du Manège ou celles des Jacobins. Mais aussi les ennemis de la Nation.

La tâche qui vient de lui être confiée, il comprend dès le premier jour ce qu'elle va être : gigantesque. Ce n'est pas parce que l'on a chassé Louis XVI du trône que les dangers extérieurs et intérieurs ont disparu. Le 19 août, 50 000 Prussiens, 29 000 Autrichiens et 8 000 émigrés ont franchi nos frontières. Il leur a suffi de trois jours pour s'emparer de la ville de Longwy. Ils marchent sur Verdun.

Chaque heure qui passe apporte une nouvelle menace. L'Angleterre rappelle son ambassadeur et la Russie expulse notre représentant. L'Espagne affirme son hostilité. Même l'ambassadeur de Venise va quitter Paris. Et voici que La Fayette — oui, La Fayette — qui commande une armée, déserte et passe à l'ennemi !

Au sein du gouvernement, on tremble. Le Girondin Roland, redevenu ministre de l'Intérieur, propose au gouvernement de quitter Paris avec l'Assemblée et de se réfugier au-delà de la Loire. Il est sur le point d'être entendu quand un autre ministre écrase la table de son poing énorme et crie : *Jamais !*

Cet homme-là, c'est Danton.

À la tribune de l'Assemblée il adjure le peuple de se mobiliser tout entier :

— Nos ennemis ont pris Longwy. Mais toute la France n'était pas dans Longwy !

Il s'écrie qu'il faut réquisitionner les fusils pour armer les volontaires.

Il sait que des milliers de royalistes marchent sur Bressuire, dans le Poitou, que l'on a découvert une conspiration contre-révolutionnaire dans le Dauphiné et que les nobles s'agitent en Bretagne. Alors il hurle que la Nation doit mettre les traîtres hors d'état de nuire :

— Y en eût-il 30 000 à arrêter, il faut qu'ils soient arrêtés demain !

Ce sont là des paroles qui enchantent la Commune. Dès le lendemain, en effet, on fouille les maisons, les étages des

Un citoyen et une citoyenne. La commune vient de décider qu'on ne s'appelera plus monsieur ou madame, mais citoyen ou citoyenne. La mode change aussi : beaucoup de citoyens portent un pantalon long et les citoyennes mettent moins de jupons sous leur robe !

*Georges-Jacques Danton.
Né à Arcis-sur-Aube en 1759,
il est avocat au conseil du roi
jusqu'en 1791. En 1792, il n'est
âgé que de 33 ans lorsqu'il est
nommé ministre de la justice :
cet emploi va faire de lui l'une
des plus grandes figures de la
révolution, avec Robespierre.*

immeubles, on s'empare de tous les fusils que l'on peut trouver, on se saisit aussi de 3 000 suspects qui sont jetés en prison.

Pour juger ceux qui ont défendu le roi, ou même sont soupçonnés de l'avoir défendu, la Commune exige la création d'un *tribunal spécial*. L'Assemblée, une fois de plus, s'incline.

C'est encore la Commune qui déclare que les Français ne s'appelleront plus Monsieur ou Madame, mais *Citoyen* ou *Citoyenne*. C'est toujours la Commune qui supprime les « manifestations extérieures du culte » : plus de cérémonies religieuses hors des églises, plus de processions, plus de prières publiques, etc. Les prêtres réfractaires devront quitter la France dans les quinze jours et les congrégations religieuses — couvents, monastères — seront supprimées.

Alors une terrible nouvelle parvient dans la capitale. Le 2 septembre, on apprend que les Prussiens ont pris Verdun.

Verdun, l'un des derniers remparts avant Paris !

Quatre jours de tueries

Les massacres de Septembre

Autour de l'affiche que vient de coller sur un mur un employé municipal, la foule se bouscule. Des hommes, des femmes. Ceux qui savent lire expliquent aux autres ce qui est écrit là : les volontaires qui vont partir pour l'armée sont invités à ne laisser aucun traître derrière eux !

Pour tout dire, elle est terrorisée, cette foule. C'est donc vrai que l'ennemi n'est qu'à cinquante lieues — 200 km — de Paris ? C'est donc vrai que les émigrés suivent les Prussiens et que, s'ils arrivent, ils massacreront tous ceux qui ont embrassé la cause de la Révolution ? Qui aurait oublié que Brunswick a annoncé qu'il détruirait la capitale si l'on touchait au roi ? Et il est en prison, le roi.

Sous l'influence de fausses rumeurs et des violentes déclarations des journaux, des bandes armées se précipitent aux prisons. Les prisonniers sont massacrés. Ici, massacre de prêtres à la prison des Carmes.

Le petit escalier de la porte d'entrée du couvent des Carmes. L'inscription latine signifie « c'est ici qu'ils tombèrent », en souvenir des prisonniers assassinés à cet endroit en septembre 1792.

On vend dans les rues un texte imprimé qui dénonce un complot tramé « par les aristocrates et les prêtres réfractaires aidés des brigands et des scélérats détenus dans les prisons de Paris » pour assassiner « tous les bons citoyens ».

Alors, à la nouvelle de la prise de Verdun, un cri terrible s'élève partout dans Paris :

— Aux prisons !

Ce cri est celui de la colère, mais aussi du désespoir. Il résume cette seule pensée : puisque nous mourrons bientôt, égorgés par les Prussiens, il faut que les amis des Prussiens meurent avant nous !

De petites bandes d'hommes farouches courent à la prison de la Force, à l'Abbaye, aux Carmes, au Châtelet, à Bicêtre. Ils en forcent les portes. Et ils se mettent à tuer : aveuglément, n'importe qui. Beaucoup plus de voleurs que d'aristocrates.

On ouvre les cellules, on se saisit des prisonniers, on les entraîne, parfois on se livre à un simulacre de jugement. On pousse celui ou celle qui doit mourir vers un guichet qu'il lui faut franchir. Au-delà on l'assomme à coups de bûche, ou bien un sabre lui fend le crâne, une pique l'éventre, un couteau l'égorge.

Cette tuerie va durer quatre jours. En tout, plus de 1 100 personnes vont périr. Ne croyez pas que la majorité des Parisiens aient participé à ce massacre. Au contraire, il n'est le fait que d'une toute petite minorité. Vous aurez de la peine à le croire, mais c'est ainsi : les égorgeurs, opérant dans toutes les prisons, n'ont été que 150 ! Parmi eux on voit plusieurs bouchers, recrutés sans doute en tant que « spécialistes ». Les autres sont des petits commerçants, des fruitiers, des cordonniers, des coiffeurs, des tailleurs, des orfèvres... qui ont cru faire leur devoir. N'avaient-ils pas lu la

Ce dessin qui représente la princesse de Lamballe, une amie de la reine, a été réalisé par l'un de ses assassins. Après l'avoir tuée, les meurtriers sont allés promener sa tête au bout d'une pique devant les fenêtres de Marie-Antoinette. La lanterne, dessinée à gauche, rappelle le cri si souvent poussé à l'époque : les aristocrates à la lanterne !

déclaration des Droits de l'homme selon laquelle tout homme doit être considéré comme innocent jusqu'à ce qu'il ait été déclaré coupable ? Un avocat voit l'un des « exécuteurs », dont l'habit est taché de sang jusqu'aux coudes, soupirer en disant :

— Depuis deux heures que j'abats des membres, de droite et de gauche, je suis plus fatigué qu'un maçon qui bat le plâtre depuis deux jours !

Parmi les victimes figure une amie de la reine, la princesse de Lamballe. Les tueurs lui coupent le cou, plantent sa tête sur une pique et s'en vont en dansant la brandir à la tour du Temple devant la fenêtre de Marie-Antoinette. Celle-ci, horrifiée — comment ne l'aurait-elle pas été ? — s'évanouit.

Aujourd'hui, vous ne trouverez personne pour défendre les « massacres de Septembre ». De tous les épisodes de la Révolution, voilà certainement l'un des plus atroces. Il faut que vous le connaissiez. C'est en vous souvenant d'actes comme celui-là que vous empêcherez peut-être un jour — qui sait ? — que d'autres, identiques, se produisent encore.

Heureusement, cette sinistre page, à peine refermée, va être suivie par une autre ; et celle-ci, vous allez le voir, est aussi merveilleuse qu'exaltante.

Les volontaires de 92

Vêtus d'un uniforme aux trois couleurs où le bleu domine — on les appellera bientôt les *Bleus* — ployant sous le poids d'un énorme sac, les volontaires de 1792 marchent d'un bon pas sur la grand-route. Certains n'ont reçu qu'une partie de l'équipement et ceux qui ont un fusil sont des privilégiés. Sur les 500 soldats d'un bataillon de la Drôme, on ne compte que 25 fusils !

Comme ils sont jeunes, ces volontaires ! Les trois quarts ont moins de vingt-cinq ans et un sur six a moins de dix-huit ans. La plupart sont des artisans pauvres ou des ouvriers agricoles. Pour permettre à certains, démunis de tout, de se mettre en route, leurs amis ont parfois procédé à des collectes.

Ils arrivent de toute la France, partis dès qu'ils ont su que la patrie était en danger. Quel enthousiasme quand, pour signer leur engagement, ils ont monté les marches des tribunes élevées partout sur les places ! Les drapeaux flottaient, les tambours battaient, la foule applaudissait et les jolies filles les embrassaient sur les deux joues !

*Le départ pour la guerre.
Un soldat, vêtu de l'uniforme
tricolore — bleu, blanc, rouge
—, fait ses adieux à sa famille :
il part se battre pour sauver la
patrie. Comme lui, ils sont
400.000 à s'engager
volontairement ; c'est pourquoi
on les appelle les
« volontaires », ou parfois les
« bleus », à cause de la couleur
dominante de leur uniforme.*

C'est le temps où Danton bondit de nouveau à la tribune de l'Assemblée et où il hurle :

— Pour vaincre l'ennemi, il faut de l'audace, encore de l'audace, toujours de l'audace et la France est sauvée !

Décidément, ce n'est pas une armée comme les autres que celle des volontaires. En 1791, déjà, 100 000 se sont engagés. Pendant l'été et l'automne de 1792, grâce à la formation des nouveaux bataillons, ils sont 400 000. Et, en février 1793, on lèvera encore 300 000 hommes.

Tous, ils se considèrent beaucoup plus comme des citoyens que comme des soldats. Dans leur esprit, ils sont venus donner un « coup de main » à l'armée régulière et, quand les choses iront mieux, ils rentreront chez eux.

En tant que citoyen, justement, ils s'organisent d'une façon qui laisse abasourdis les vieux soldats de l'armée royale : ils élisent leurs officiers. Ceux-ci, à part certains nobles ralliés à la Révolution que l'on choisit pour leur passé militaire, sont des petits bourgeois, des maîtres artisans et aussi des cultivateurs. Un simple ouvrier teinturier, engagé à vingt-trois ans en 1792 au 2e bataillon du Gers, deviendra général à vingt-sept ans. Il s'appelle Lannes. Il ira plus loin encore : sous Napoléon, il sera maréchal de France et duc de Montebello.

93

Première victoire de la révolution

Sans doute ces volontaires n'ont-ils pas aussi belle allure que les soldats de métier. Mais ils possèdent quelque chose de plus : la foi. Un Allemand qui les a vus à l'œuvre en a témoigné : « Ils n'étaient pas tirés au cordeau, aussi habiles à manier le fusil et à marcher au pas que les Prussiens, mais ils étaient dévoués corps et âme à la cause qu'ils servaient. »

Si, ce jour-là, les volontaires s'avancent en chantant sous la pluie, c'est pour aller barrer la route à l'ennemi qui marche sur Paris.

Le duc de Brunswick. En 1792, ce général prussien est chef des armées opposées à la France. Âgé de 57 ans, il possède déjà une longue expérience militaire. On le considère alors comme l'un des meilleurs généraux d'Europe. Il surnomme les soldats français « les savetiers », ou les « loqueteux », du fait que la plupart de ceux-ci ne sont pas de vrais soldats de métier et sont mal habillés. Pourtant, il va être battu par cette armée de « loqueteux ». Il mourra en 1806 des suites d'une blessure reçue sur un champ de bataille.

Vive la nation ! Ça ira !

« Jamais il n'a autant plu en septembre ! », jurent les paysans qui voient, entre l'Aisne et la Meuse, les redoutables colonnes prussiennes s'enfoncer dans les forêts de l'Argonne.

Une telle pluie est un véritable fléau pour une armée en campagne. Les chemins sont transformés en bourbiers et les convois de vivres subissent de tels retards que les soldats marchent la faim au ventre. Quand le pain arrive enfin, il est trempé d'eau, souvent moisi. À l'étape, on dresse les bivouacs dans la boue. La pluie perce la toile des tentes, les capotes, les uniformes. Pour comble de malheur, la dysenterie — maladie infectieuse qui atteint l'intestin — s'est abattue sur la troupe qui grelotte.

Elle n'en a pas moins franchi les défilés de l'Argonne, cette armée prussienne, et elle envahit la Champagne. Les royalistes triomphent. Ils jurent que le roi de Prusse sera bientôt à Paris. C'est un peu vite dit.

Première surprise du roi de Prusse Frédéric-Guillaume : sur le passage de son armée, on dirait que la paysannerie française tout entière s'est mise en embuscade. « Tous les paysans, témoigne le prince de Ligne, ou tirent contre nous, ou nous assassinent quand ils trouvent un homme seul ou endormi. »

Brunswick, le général prussien, attend avec impatience le moment où il rencontrera ce « ramassis de savetiers » (on dirait aujourd'hui cordonniers), comme il répète avec mépris en parlant des Français. Il affirme en ricanant que la devise des volontaires, c'est « vaincre ou courir ».

Soudain, à l'aube du 20 septembre, il découvre devant lui une colline sur laquelle flotte le drapeau tricolore. Autour d'un moulin dont les ailes tournent dans le soleil qui se lève, il voit 50 000

Ce tableau représente une scène de la bataille de Valmy. Les Français s'apprêtent à suivre leurs généraux, Kellerman et Dumouriez. Le premier se précipite déjà à l'attaque, son chapeau à panache à la main. Au loin, la canonnade des Prussiens dégage une épaisse fumée.

François-Christophe Kellerman, l'un des vainqueurs de Valmy, a le même âge que son adversaire Brunswick : 57 ans. Déjà officier sous l'ancien régime, il s'est rallié à la cause révolutionnaire. Il sera fait maréchal de France et duc de Valmy par Napoléon.

« savetiers » groupés en bon ordre, autour de leur général, Kellermann. Cette colline et ce moulin sont ceux de Valmy.

Aussitôt, Brunswick fait mettre ses canons en batterie. Son plan est simple : il va écraser les Français sous un déluge de boulets. Après quoi il fera donner l'assaut par ses troupes. Avant une heure, il en est sûr, la moitié des savetiers seront morts, le reste aura déguerpi.

Les volontaires savent ce qui les attend. Kellermann, à cheval, brandit à la pointe de son sabre son chapeau emplumé. Il galope entre les rangs des soldats et hurle :

— Vive la nation !

Les volontaires répondent par un formidable *ça ira*.

L'artillerie prussienne se déchaîne. De longues files de Français, fauchés par les boulets qui passent en sifflant, gisent à terre. Les autres, sous cette effroyable épreuve, ne frémissent même pas.

À leur tour, les canons français ouvrent le feu. Les soldats

95

Le moulin de Valmy

prussiens qui s'élançaient déjà à l'attaque de la colline s'arrêtent net. Un instant après, ils se replient en désordre, cependant que les volontaires s'apprêtent à se jeter à leur poursuite.

Brunswick, qui était si sûr de la victoire, doit bientôt donner l'ordre de la retraite pour éviter l'écrasement définitif de son armée.

L'armée française a été regroupée sur une colline nommée Valmy, au pied d'un moulin à vent. Elle subit d'abord les boulets ennemis. Mais rapidement, elle riposte et ses nouveaux canons, construits par Gribeauval, font merveille. Les Prussiens, qui était sûrs d'une victoire facile, sont surpris. Alors, au cri de « Vive la Nation », Kellerman entraîne les soldats à l'assaut. Les Prussiens minés par la dysenterie n'insistent pas. Ils battent en retraite. C'est la première grande victoire des troupes révolutionnaires, contre une armée qui était réputée invincible. Il n'y a pourtant que 184 morts du côté prussien et 300 du côté français.

Un grand écrivain allemand, qui accompagne l'armée prussienne, a assisté à cet incroyable retournement. Il s'appelle Goethe. Il va écrire : « De ce lieu et de ce jour date une nouvelle époque dans l'histoire du monde. »

Il veut dire par là que, pour la première fois, l'armée d'un roi a été vaincue par l'armée d'un peuple.

La première république

La Convention proclame la République

Ils sont 740, le 20 septembre 1792, ces hommes qui, les uns après les autres, viennent prendre place sur les bancs de la nouvelle assemblée : la Convention nationale. Un nom est sur toutes les lèvres : Valmy. Nous imaginons le réconfort, la force qu'ont pu trouver les Conventionnels à se réunir pour la première fois au lendemain d'une victoire.

Parmi eux, on retrouve d'anciens députés de la Constituante qui n'avaient pu siéger à la Législative : Robespierre par exemple ; d'anciens députés de la Législative comme Vergniaud ; surtout des hommes nouveaux, venus de l'insurrection parisienne et de la Commune, comme Danton, Collot d'Herbois, Billaud-Varennes, Camille Desmoulins, Fabre d'Églantine, Marat. D'autres encore, élus des provinces, comme le jeune Saint-Just.

Regardez-les, occupés à se grouper selon leurs opinions. Il suffit de les observer pour comprendre qu'ils sont tous des bourgeois. Il n'y a parmi eux que deux ouvriers ! Surtout, presque tous ces nouveaux élus sont jeunes, très jeunes.

Ne l'oubliez jamais. Ces gens qui vont donner à l'épopée révolutionnaire son formidable élan sont pour la plupart des jeunes gens. Des noms au hasard : Robespierre, en 1789, a trente et un ans, Danton trente ans, Fouché trente ans, Desmoulins vingt-neuf ans, Lebas vingt-quatre ans, Saint-Just, vingt-deux ans.

Si les Français s'exaltent au seul mot de *liberté* — le « vocable saint », dit le grand historien Michelet — comment ces jeunes-là ne délireraient-ils pas ?

Vous vous apercevrez bientôt que les enthousiasmes de la jeunesse sont toujours plus ardents que ceux de l'âge mûr. Plus tard, vous comprendrez, parce que vous aurez vieilli, que la jeunesse paie souvent aussi son manque d'expérience, parfois de réflexion. La Révolution française, c'est la jeunesse. Soyez-en sûrs : ceci explique cela.

Les Conventionnels ont été élus au suffrage universel, ce qui veut dire que tous les Français — sauf les femmes ! — ont pu voter. Mais le vote n'étant pas secret, on a compté un très grand nombre d'abstentions : des gens prudents !

Voici les *Girondins*, revenus en force avec Roland, Condorcet, Brissot, Pétion. Eux qui naguère apparaissaient comme les révolutionnaires les plus décidés font maintenant figure de modérés. En grande majorité provinciaux, ils sont bien décidés à s'opposer par tous les moyens à la dictature de la Commune de

Louis Antoine Saint-Just est le plus jeune député de la convention : il a 25 ans ! Il est étudiant en droit quand éclate la révolution pour laquelle il prend parti avec enthousiasme. À la Convention, il devient l'ami de Robespierre et se rend célèbre par son discours accusant Louis XVI.

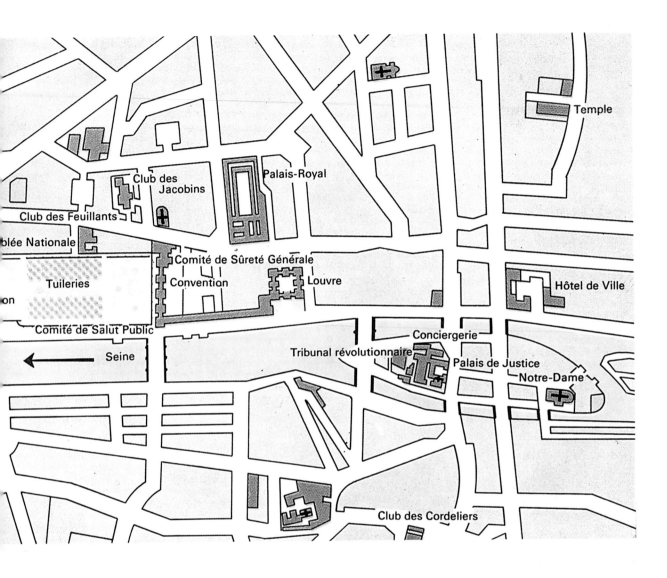

Le centre de Paris sous la Révolution. Comme on peut le voir sur ce plan, la Convention s'est installée dans le Palais des Tuileries, ainsi que les principaux comités. Les clubs sont presque tous groupés dans le même quartier. En haut à droite, le petit carré noir représente la tour du Temple, où est emprisonné le roi. À gauche, la place de la Révolution où il sera guillotiné, s'appelle actuellement Place de la Concorde.

Paris qu'ils jugent insupportable. Ils répètent qu'il faut réduire la capitale à son rang de département : le quatre-vingt-troisième de la France.

Voici les *Montagnards*, ainsi appelés parce qu'ils ont choisi de siéger sur les travées les plus élevées de l'Assemblée. Robespierre et Danton en seront les chefs incontestés. Ils sont résolus à faire triompher une Révolution qui ira jusqu'au bout de ses principes et ne transigera jamais avec ses ennemis. Contrairement aux Girondins, les Montagnards font corps avec la Commune qu'ils savent

Le procès du roi a débuté le 13 novembre 1792; il durera un peu plus de 2 mois. Vous pouvez voir, sur cette gravure, Louis XVI devant la Convention, transformée pour l'occasion en tribunal. On vient de lui demander s'il reconnaissait la clef que le personnage assis devant lui tient à la main. Le roi surprend par sa dignité et son calme, alors qu'il sait déjà que Saint-Just et Robespierre ont réclamé sa mort.

composée de leurs amis. Le club des Jacobins leur est tout acquis, ainsi que les sections les plus ardemment révolutionnaires de Paris. Ils vont savoir admirablement en jouer.

Voici, entre Girondins et Montagnards, 400 députés qui ne se réclament ni des uns ni des autres. Comme ils siègent au bas des travées, comme aussi ce n'est pas l'audace qui les caractérise, on les désigne comme la *Plaine*. Pour s'en moquer leurs ennemis les appelleront bientôt *le Marais*. Ils n'en représentent pas moins, de par leur nombre, une force considérable. Penchant vers l'un ou l'autre parti, ils seront en fait les arbitres de la nouvelle assemblée.

Car ils vont bientôt se diviser, ces hommes que soudait le même idéal de liberté et d'égalité, ils vont s'opposer, se déchirer, s'entre-tuer. Cela, c'est la tragédie de la Révolution. Elle com-

mence tôt, très tôt, puisque, dès le 23 septembre, Brissot attaque déjà les Montagnards et que, dès le 25, les Girondins accusent Marat, Robespierre et Danton d'aspirer à la dictature. Le terrible engrenage est né qui broiera tout sur son passage.

Comment oublier cependant que, ces mêmes jours, les mêmes hommes — cette fois unanimes — ont proclamé la République ?

Cela s'est accompli en trois journées. Le 21 septembre, la Convention nationale décrète : *la royauté est abolie en France*. Le 22 septembre, elle décide que tous actes publics seraient désormais datés de *l'an Un de la République française*. Le 25 septembre, enfin, elle décrète que *la République française est une et indivisible*.

À chacun de ces votes, un grand cri de *Vive la République* s'est élevé. Chaque fois la même émotion profonde a bouleversé 740 hommes.

Une grave question subsiste pourtant : que va-t-on faire de Louis XVI ?

La Convention juge Louis XVI

Un jeune homme aux allures d'adolescent vient de gravir les marches de la tribune. Il se nomme Saint-Just. Il est mince, blond et si beau que certains l'appelleront « l'archange de la Révolution ».

À la Convention, le 13 novembre 1792, les débats sur le procès de Louis XVI viennent de commencer. Les paroles impitoyables de Saint-Just tombent avec la sécheresse d'un couperet sur les députés saisis et muets :

— Moi, je dis que le roi doit être jugé en ennemi, que nous avons moins à le juger qu'à le combattre... Pour moi, je ne vois point de milieu : cet homme doit régner ou mourir... *On ne peut point régner innocemment :* tout roi est un rebelle et un usurpateur !

Qui douterait désormais de la conclusion du procès de Louis Capet, ainsi qu'on le désigne maintenant, en voulant rappeler le nom que portait le fondateur de sa dynastie, Hugues Capet ?

Le 11 décembre, Louis comparaît à la barre de la Convention. Chaque fois qu'une accusation lui est opposée, il la nie. On lui présente des pièces qu'il a signées lui-même : il déclare qu'il ne les connaît pas. Ce qui frappe néanmoins, même ses pires ennemis, c'est sa dignité parfaite. Il est évident que cet homme ne se sent pas coupable.

Après de longues discussions — menées avec quelle passion !

Voici le premier décret rendu par la Convention : il déclare l'abolition de la royauté en France — un décret est une sorte de loi —. Il est signé par le président du bureau de l'Assemblée Pétion, par les secrétaires Brissot et Lasource, et en travers à gauche par Monge et Danton. La phrase « L'an quatrième de la Liberté » rappelle que la prise de la Bastille, a eu lieu en 1789.

La mort de Louis XVI

Ci-dessus : dans la prison du Temple, Louis XVI fait ses adieux à sa famille, car il ne la reverra plus... Une berline l'attend pour le mener à l'échafaud.
Ci-dessous : la berline arrive en vue de la guillotine. Le roi dit lui-même qu'il n'a pas peur de mourir.

— la Convention condamne Louis Capet à la peine de mort. À la quasi-unanimité, le roi a été reconnu coupable. Mais la condamnation à la peine capitale n'a été acquise qu'à une voix de majorité : 361 voix contre 360 !

Une tête de roi jetée à l'Europe

Le 21 janvier 1793, tout au long du parcours que doit suivre l'ex-roi pour aller à l'échafaud, la foule s'est rassemblée depuis 7 heures du matin.

On commence à entendre, au loin, du côté du Temple, le roulement des tambours sur la chaussée. Voici, surgissant du brouillard, le cortège qui se devine. Les gendarmes à cheval, les grenadiers de la garde nationale, l'artillerie, les tambours ; enfin, la voiture, une berline, elle-même entourée de soldats.

De la foule monte seulement le silence.

Chaque tour de roue rapproche Louis de la mort. De la rue Royale on débouche sur la place Louis-XV qui s'appellera place de la Révolution avant de devenir notre place de la Concorde. L'échafaud et sa guillotine se dessinent sur les nuages noirs du ciel.

La voiture s'arrête. On fait descendre le roi. Il ouvre lui-même le col de sa chemise. Les bourreaux veulent lui lier les mains.

— Me lier ! Non, je n'y consentirai jamais !

L'abbé qui l'accompagne l'exhorte à obéir. Il cède. On le pousse vers les marches de l'échafaud. Il les gravit sans trembler. Arrivé en haut, il échappe à ses bourreaux, se précipite vers la foule, crie :

— Je meurs innocent de tous les crimes qu'on m'impute. Je pardonne aux auteurs de ma mort, et je prie Dieu que le sang que vous allez répandre ne retombe jamais sur la France...

Cette gravure montre la place Louis XV, rebaptisée place de la Révolution, envahie de monde. Ces gens sont venus assister au spectacle de l'exécution de Louis XVI. Après que le couperet soit tombé, le plus jeune des aides du bourreau Sanson montre la tête du roi à la foule qui crie « Vive la République ». Certains lancent même leur chapeau en l'air, en signe de joie.

N'ayez aucun doute là-dessus : cet homme est sincère. Il ne se sent pas coupable et, si vous vous placez dans la perspective qui est la sienne, vous pouvez le comprendre.

Le général de la garde nationale, Santerre, d'un geste ordonne aux tambours de battre. Le bruit couvre la voix de Louis XVI. Les aides du bourreau Sanson le poussent vers la planche, l'y attachent. Le triangle d'acier tombe.

Le plus jeune des bourreaux cherche dans le panier la tête royale, la saisit aux cheveux et, la brandissant à bout de bras, fait le tour de l'échafaud en la montrant au peuple.

Alors, un cri immense monte vers le ciel :

— Vive la République !

Au cours des débats qui avaient précédé le jugement de Louis XVI, Danton avait tout à coup lancé de sa voix de tonnerre :

— Nous jetterons en défi à l'Europe une tête de roi !

Ce défi, la République vient de le lancer. Mais l'Europe tout entière va le relever.

LA GUERRE ET LA TERREUR

De victoire en victoire

La double page précédente représente la guerre, la Terreur et la résistance à la Révolution. À gauche, vous voyez les soldats français qui, après avoir remporté contre les Autrichiens la grande victoire de Jemmapes (novembre 1792), occupent la Belgique, acclamés par une partie des Bruxellois et des Liégeois. Mais les Autrichiens les en chasseront quatre mois plus tard. Au même moment (mars 1793) les « Vendéens » (habitants de la Vendée, du Maine et Loire, de la Loire Inférieure et d'une partie des Deux Sèvres), en majorité des paysans, se sont révoltés. Exaspérés par la politique anti-religieuse des révolutionnaires et refusant de participer à la levée de 300 000 hommes, ils forment une « armée catholique et royale ». A droite, quelques-uns de leurs chefs légendaires : Charette (avec le chapeau), Cathelineau et le prince de Talmont (sabre au poing). La Convention décide de « détruire la Vendée ». Les Français se déchirent et la Terreur se développe. Pensant arrêter ses excès, une jeune fille, Charlotte Corday, assassine Marat (au centre) qui prêchait la dictature et la Terreur. Trois mois après, le 16 octobre, la reine Marie-Antoinette, qui a été transférée du Temple à la Conciergerie (en bas, au centre) est guillotinée. On la voit se diriger vers l'échafaud. Son fils, le petit Louis XVII, 8 ans, reste prisonnier au Temple (à l'extrême droite).

En avant ! hurle le capitaine en brandissant son sabre.

Le bataillon s'ébranle. Il est disposé en ligne sur trois rangs. Chacun a mis la baïonnette à son fusil.

Devant eux, les soldats voient un petit village : celui de Jemmapes, dans le Hainaut belge. Ce jour-là, le 6 novembre 1792, l'armée commandée par le général Dumouriez attaque les troupes autrichiennes commandées par le gouverneur des Pays-Bas. Une armée ennemie très supérieure en nombre à la nôtre.

— En avant ! crie de nouveau le capitaine qui se met à courir.

Mécaniquement, les soldats imitent le capitaine. Sur toute la ligne de bataille, les Français s'élancent vers l'ennemi qui a ouvert le feu.

Parmi ces soldats, il y a un jeune homme du nom de Fabien. Vous vous souvenez peut-être de lui : nous l'avons rencontré ensemble le 14 juillet 1790, à la Fête de la Fédération. Le jour même où il a su la patrie en danger, Fabien s'est engagé parmi les premiers volontaires de la Drôme et a, aussitôt, rejoint l'Armée du Nord. Il était à Valmy, il est maintenant à Jemmapes. Très tôt le matin, on lui a dit que de cette bataille dépendait le sort de la République.

Son cœur bat à grands coups dans sa poitrine. Qu'est-ce donc qui siffle à ses oreilles ? On dirait des insectes qui passent très vite. Quand il voit tomber à côté de lui, avec un hurlement de douleur, un de ses camarades, il comprend que ce sont des balles. Un autre tombe, un autre encore :

— Serrez les rangs ! crie le capitaine d'une voix terrible.

Et on serre les rangs en effet pour combler les places laissées par les morts et les blessés.

À la pointe de leurs baïonnettes, Fabien et ses camarades vont forcer les positions ennemies. Le village de Jemmapes est pris d'assaut. Tantôt les bataillons attaquent en ligne, tantôt ils se forment en colonnes pour se déployer à nouveau en ligne lorsqu'ils sont à quelques dizaines de mètres de l'ennemi.

Le soir, Fabien est épuisé par le gigantesque effort accompli : pendant des heures, courir, tirer, courir, tirer. Il est fier de la victoire tout en ayant le cœur lourd quand il pense à ses camarades qui ont perdu la vie. Mais les Autrichiens ont laissé sur le terrain 4 500 morts, 400 prisonniers et une grande partie de leur artillerie. Les officiers français le répètent : cette bataille donne la Belgique à la France. On va pouvoir l'annexer et ainsi agrandir la République. Définitivement, les fameux « savetiers » que méprisait tant Bruns-

wick viennent de prouver l'efficacité des armes de la République face à celles des Puissances coalisées.

La Belgique devient française

Comme les choses vont vite désormais ! Dès le lendemain, l'armée s'avance à travers la Belgique. On marche, on marche. C'est tout juste si l'on s'arrête pour dormir et se nourrir. Les jours où Fabien mange à sa faim se comptent sur les doigts d'une main. La plupart du temps le pain n'arrive pas et si, par exception, on en distribue, il est trempé de pluie parce que transporté sur des charrettes découvertes. On marche quand même.

Le 7 novembre, l'armée française prend Mons, le 14 elle entre à Bruxelles. Le 28, elle est à Liège. Vers Fabien et ses camarades déferlent les acclamations des habitants qui accueillent les soldats français comme des ambassadeurs de la liberté. Fabien sent monter en lui des bouffées d'orgueil et de bonheur. Seulement il a un peu honte de sa tenue, sous les regards de ces bourgeois bien vêtus et visiblement à leur aise. Sa chemise est taillée dans de la toile d'emballage et, quand on lui a distribué des souliers, il s'est aperçu au bout de deux jours que la semelle n'était que du carton dissimulé par une légère feuille de cuir. On lui a expliqué que des fripons trichaient sur les fournitures afin de s'enrichir sur le dos des soldats. Furieux, ses camarades et lui ont aussitôt crié qu'il fallait guillotiner ces fripons-là.

La bataille de Jemmapes. 6 novembre 1792 ; emportées par l'enthousiasme révolutionnaire, les troupes du général français Dumouriez gagnent une éclatante victoire, contre les Autrichiens pourtant plus nombreux. La ville de Jemmapes se trouve en Belgique ; en effet, les Français poursuivent maintenant les ennemis au-delà des frontières.

107

Le début des coalitions

William Pitt est premier ministre, en Angleterre, depuis 1783. C'est un homme jeune, lui aussi, puisqu'il n'a que 33 ans en 1792. Jusqu'à cette date, il a essayé de maintenir la paix en Europe. Mais depuis Jemmapes, les victoires françaises deviennent dangereuses pour la Grande Bretagne. D'ailleurs, le 1ᵉʳ janvier 1793, la France déclare la guerre à l'Angleterre et à la Hollande. William Pitt provoque l'alliance de presque tous les pays d'Europe contre la France : c'est la « coalition ». Il meurt en 1806, alors que la guerre dure toujours.

Le 30 novembre l'armée française s'empare de la ville d'Anvers et en contrôle desormais le port. L'impossible promesse est tenue : la Belgique tout entière est devenue française.

300 000 hommes pour la République

Dans son majestueux bureau de Londres, le Premier ministre anglais, William Pitt, lit et relit, atterré, un message qui vient de lui parvenir : les Français sont à Anvers !

Il y a neuf ans que Pitt est Premier ministre. C'est un homme d'une vive intelligence, mais froid et orgueilleux. En 1789 il a salué avec sympathie la Révolution française. Les Anglais ont été le premier peuple qui ait adopté la démocratie et il lui était agréable qu'un régime de liberté s'établisse en France. Par ailleurs, en tant que fidèle sujet du roi d'Angleterre, il ne détestait nullement l'idée de voir la France affaiblie par des rivalités intérieures. L'annonce de la mort de Louis XVI l'a naturellement frappé mais il ne l'a pas prise comme un événement assez important pour déclarer la guerre à la France, comme le souhaitaient certains de ses sujets. Cette fois, c'est différent. La colère le soulève : l'Angleterre ne peut pas supporter un jour de plus que les Français occupent la Belgique et surtout Anvers. Vous comprendrez mieux cette attitude quand vous connaîtrez une phrase prononcée plus tard par Napoléon :

— Anvers est un pistolet braqué au cœur de l'Angleterre !

La décision de Pitt est prise. L'Angleterre fera la guerre à la France révolutionnaire. Bien plus : elle va susciter à travers l'Europe une gigantesque alliance — on dira : *coalition* — contre la République française.

Quand on connaîtra à Paris les préparatifs anglais, on jugera plus digne de prendre les devants. Le 1ᵉʳ février 1793, la France déclare la guerre à l'Angleterre et à la Hollande.

Mais l'Angleterre met les bouchées doubles. La coalition se forme très rapidement. Elle va rassembler contre la France : l'Angleterre, la Hollande, l'Espagne, le Portugal, la plus grande partie des États italiens, l'Autriche, la Prusse, les autres États allemands et, plus tard, la Russie. Ce que beaucoup de Français, préférant en rire qu'en pleurer, vont résumer ainsi :

— C'est l'Europe entière que nous avons sur les bras !

Quand la guerre est déclarée, Fabien n'est plus à l'armée. Pourquoi ?

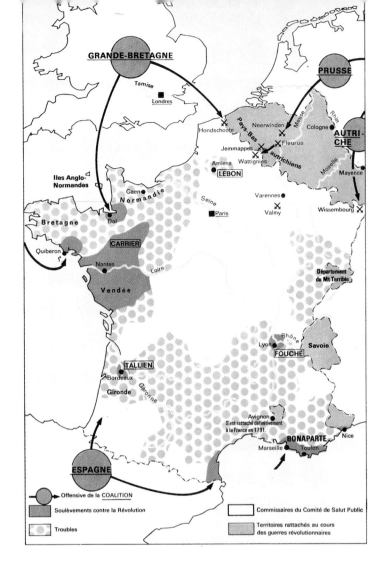

Cette carte montre la situation militaire et politique de la France en 1793. Les offensives de la coalition sont représentées par les ronds marrons ; cela signifie que les armées ennemies sont sur presque toutes les frontières et encerclent la France. Les taches roses indiquent les zones où une partie de la population s'oppose à la Révolution ce qui entraîne une guerre civile locale. Les points roses recouvrent les régions où ont lieu des soulèvements, c'est-à-dire des révoltes non organisées. Les partisans de la République ont fort à faire pour résister à toutes ces menaces.

Comme tous les volontaires, il s'est engagé pour la durée d'une campagne. D'ailleurs l'Assemblée nationale l'a confirmé : les volontaires peuvent chaque année rentrer chez eux, à condition de prévenir leur capitaine deux mois auparavant. Fabien a donc décidé de repartir pour la Drôme où son absence à la ferme paternelle pèse cruellement. Beaucoup d'autres l'ont imité. Au début de 1793, près du tiers des volontaires engagés ont regagné leur foyer !

Comment faire face, avec une armée diminuée, à la formidable menace de l'Europe coalisée ? Voilà le problème qui se pose à la Convention. Sous les armes, il ne reste que 228 000 hommes. Le commandement estime qu'il lui faut encore 300 000 soldats.

La Convention n'hésite pas. Il n'est plus question de volontaires. Les députés décident, le 24 février 1793, la levée de 300 000 hommes.

Chaque commune devra fournir un nombre donné de soldats, choisir parmi les célibataires de dix-huit à quarante ans. On procédera par tirage au sort. C'est l'amorce d'un service national obligatoire. Cela aussi est une vraie révolution.

Des paysans contre la République

Le grand refus de la Vendée

Les bras nus de l'homme plongent dans le pétrin et soulèvent, pour la remuer, la pâte dont sera fait le pain. Cet homme-là est voiturier au Pin-en-Mauges, un village du département de Maine-et-Loire. Il s'appelle Cathelineau. Il est rude et bon et croit en Dieu de toutes ses forces. On peut dire de lui qu'il est le type même du *Vendéen*, car le Maine-et-Loire, avec le département de la Vendée, celui des Deux-Sèvres et une partie de la Loire-Inférieure vont bientôt être désignés globalement comme la *Vendée*.

Soudain, du côté de Saint-Florent, un coup de canon retentit. Cathelineau tressaille, se redresse, s'élance hors de la maison.

Devant la porte il trouve des jeunes gens au comble de l'exaltation. En quelques mots ils expliquent que la nouvelle de la levée de 300 000 hommes est arrivée à Cholet le samedi 2 mars, jour de marché. Sur-le-champ, la ville s'est trouvée en tumulte. Le lendemain plusieurs garçons concernés se sont réunis à l'auberge. Ils se sont écriés :

— Si nous devons servir, nous servirons dans le pays. Nous refusons d'aller aux frontières !

Avec ceux que de tels propos scandalisaient ils ont échangé des coups de poing. Mais bientôt les coups de fusil sont venus. À Beaupréau, pour protéger des officiers menacés, la garde nationale a ouvert le feu : trois « gars » ont été tués, huit blessés.

Au Pin-en-Mauges, les jeunes gens ne veulent pas demeurer en reste. Plutôt que de quitter leur province, ils préfèrent livrer combat à la garde nationale.

Un instant, Cathelineau médite. Brusquement il prend sa décision :

— Nous sommes perdus si nous restons sur le pays. La République va nous écraser.

Sa femme s'interpose, elle veut le calmer :

— Achève au moins de pétrir le pain de tes enfants !

Il ne répond même pas. Il l'écarte et court à l'église. Il en arrache le drapeau tricolore.

Cathelineau va devenir l'un des grands chefs de l'insurrection vendéenne.

C'est le refus d'obéir aux exigences de la nation qui a mis le feu aux poudres en Vendée. Et quel feu ! Du 11 mars 1793 à la fin du mois, les deux tiers des paroisses de l'Ouest vont entrer en rébellion.

Voici Jacques Cathelineau, l'un des grands chefs vendéens. Il est né au Pin-en-Mauges, en Maine-et-Loire. Son métier est de transporter, en charrette, des gens ou des marchandises. En mars 1793, il se révolte contre la République « pour Dieu et pour le Roi ». Comme lui, des dizaines de milliers de paysans de l'Ouest de la France entrent en rébellion. Ces derniers le choisissent comme chef et le nomment généralissime de l'armée « catholique et royale ». Mais il est tué lors de l'attaque de Nantes en juin 1793; il n'a que 34 ans. On l'a appelé le « Saint de l'Anjou ».

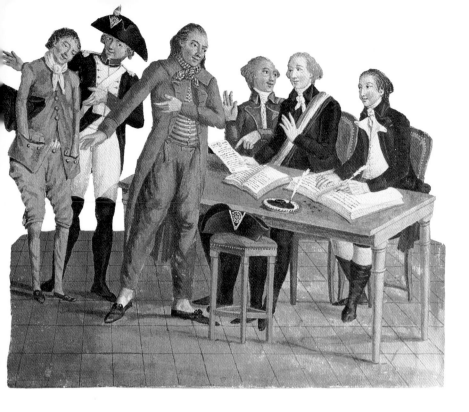

La Convention a besoin de 300 000 soldats. Alors par un décret du 24 février 1793, elle oblige chaque commune à fournir un certain nombre de soldats. C'est ce décret qui provoquera la révolte vendéenne. Voici une scène où un jeune homme, vêtu de gris, doit être enrôlé ; mais comme il est difforme et attardé, son père propose de partir à sa place, ce qui est accepté.

Vous vous étonnez : la levée de 300 000 hommes s'est appliquée à toutes les provinces françaises. Si en maint endroit il y a eu des déserteurs — en faible minorité d'ailleurs — aucune autre région n'est entrée en insurrection. Pourquoi les Vendéens, bientôt les Mayennais et les Bretons, font-ils exception ?

Le plus curieux est que, dans cette région, la Révolution a été accueillie avec bonheur. On a acclamé les Droits de l'homme. Ce qui est venu jeter le trouble parmi ces paysans très attachés à leurs traditions, catholiques plus ardents que nulle part ailleurs, c'est la Constitution civile du clergé. Ils n'ont pas supporté de voir leurs curés obligés de se cacher pour ne pas prêter le fameux serment. Quand les prêtres réfractaires ont été contraints de quitter la France, leurs paroissiens ont pleuré en les voyant, faibles et misérables, portant leur maigre bagage, prendre la route de l'exil. Depuis, la Révolution est devenue impopulaire dans l'Ouest.

Un certain Jean « Chouan »

Dès le mois d'août 1792, un paysan du district de Laval, dans le département de la Mayenne, a malmené un représentant de l'autorité révolutionnaire. Après quoi il s'est enfui dans les bois avec ses « gars ». Il n'en sortira que pour exécuter des patriotes et des soldats isolés. Il s'appelle Jean Cottereau mais, dans sa famille, on le surnomme Jean Chouan parce qu'il imite très bien le cri de la chouette. Voilà pourquoi l'insurrection générale qui éclatera en 1794 au nord de la Loire deviendra la *Chouannerie*.

La guerre de Vendée

Henri du Vergier, comte de la Rochejaquelein. Tout comme le précédent, ce noble a été choisi comme chef par les Vendéens, et ceci malgré son extrême jeunesse — 21 ans en 1793 —. Sa bravoure lui fait dire « Si j'avance, suivez-moi ; si je recule, tuez-moi ; si je meurs, vengez-moi ». Il sera tué en 1794.

LE DÉROUTE
DE CHOLET.

La ville de Cholet est située à une cinquantaine de kilomètres de Nantes. Le 17 octobre 1793, les Vendéens de l'armée catholique et royale, retranchés dans Cholet, sont battus par les soldats de l'armée républicaine. Le lendemain, l'armée vendéenne fuit vers le Nord et franchit la Loire, accompagnée de milliers de femmes et d'enfants, comme le montre cette peinture. La ville de Cholet sera intégralement détruite l'année suivante.

La nouvelle de la mort de Louis XVI est venue jeter une consternation supplémentaire dans les esprits. C'est donc sur un peuple mécontent, anxieux, énervé, que l'annonce de la levée de 300 000 hommes a éclaté, comme un coup de tonnerre.

D'où ce cri qui retentit sur tout le territoire de la Vendée :
— Nous ne partirons pas !

Cathelineau, le premier, va soulever Saint-Florent-le-Vieil. Il ne faut qu'une semaine pour que le Bocage vendéen tout entier s'enflamme. Des troupes s'improvisent qui bientôt font une armée. On marche sur Machecoul (Loire-Inférieure), où l'on tue férocement tous ceux que l'on sait attachés à la République. Cinq cent quarante personnes sont massacrées. On crucifie un curé constitutionnel, on enterre vivant des patriotes. Le président du district a les poignets sciés avant d'être achevé à coups de fourche et de baïonnette. Le premier massacre de la guerre de Vendée...

Les chefs ? D'abord de petites gens : si Cathelineau est voiturier, Stofflet est garde-chasse. Ensuite des nobles que les paysans vont souvent quérir de force dans leur modeste château : Charette, La Rochejaquelein, Bonchamps, d'Elbée, Lescure.

Bientôt Bonchamps commande une armée sur la Loire, Charette une autre dans le Marais, d'Elbée une troisième entre les deux premières : la « grande armée catholique ». Ces nobles se rangent sous l'autorité d'un simple paysan, Cathelineau, promu général en chef.

Dès les premiers jours de mars, Angers et Nantes sont menacés. L'immense élan va gagner le Poitou, l'Anjou, la Bretagne.

Où s'arrêtera-t-il ?

Paris en colère

La queue s'allonge à la porte de l'épicerie. Des femmes attendent, amaigries, blêmes. Visiblement elles ne mangent pas tous les jours à leur faim. Le désespoir et la rancœur se lisent sur leurs visages.

— Ecoutez !

Celle qui vient de crier brandit *l'Ami du peuple*, le journal de Marat.

— Ecoutez ce que dit Marat !

Elle se met à lire. Ce que conseille Marat, tout simplement, c'est de piller les boutiques.

Voilà qui demande explication.

La guerre, cela coûte cher. Or la nouvelle administration ne parvient pas à faire rentrer les impôts. Pour se procurer de l'argent, on a imprimé des assignats en grande quantité. Le nombre des billets en circulation a doublé de 1789 à la fin de 1792. Résultat : leur valeur a baissé de moitié. Les producteurs de blé ou de viande préfèrent garder leurs marchandises plutôt que de la céder pour des billets sans valeur.

D'où le conseil impitoyable de Marat : faites-vous justice vous-mêmes ; envahissez les boutiques ; emparez-vous de ce dont vous avez besoin mais ne payez que le juste prix et non celui que les voleurs veulent vous imposer.

Les femmes n'attendent même pas la fin de la lecture. Elles s'élancent à l'intérieur de l'épicerie, font main basse sur les produits. Payent-elles le juste prix comme le demande Marat ? Ce n'est pas sûr. On sait comment s'engage un pillage. On ne sait jamais comment il finit.

François Athanase Charette de la Contrie. Né en 1763, et ancien officier, il émigre au début de la Révolution. Revenu en France, il fait partie de ces nobles auxquels les paysans révoltés ont demandé de les commander dans leur lutte contre la République. C'est lui qui résistera le plus longtemps. Il est nommé général en chef de l'armée catholique et royale. Il sera capturé et fusillé à Nantes, le 29 mars 1796.

La trahison de Dumouriez

Partout dans Paris on assiste à de telles émeutes. Malgré les appels au calme, la fièvre monte. Les *sans-culottes* — ainsi appelle-t-on maintenant les patriotes qui portent des pantalons et non plus des culottes s'attachant sur des bas au-dessous des genoux — les sans-culottes exigent que l'on fixe les prix de façon autoritaire, que l'on réquisitionne les denrées chez les producteurs et que l'on verse des secours aux patriotes *nécessiteux*, autrement dit les citoyens les plus malheureux.

À la Convention, les Montagnards y sont disposés mais les Girondins, qui défendent une politique de libre circulation de

Le gouvernement révolutionnaire

Ce petit garçon malade a l'air triste, c'est le dauphin. Il est dans son lit, à la prison du Temple. Depuis la mort de son père, Louis XVI, les royalistes l'ont proclamé roi sous le nom de Louis XVII.

l'argent et des marchandises, s'opposent à de telles mesures. Comment ne représenteraient-ils pas désormais, pour les Parisiens, l'ennemi à abattre ?

Un matin, le peuple atterré apprend que le général Dumouriez vient de se livrer aux Autrichiens. Exactement comme l'avait déjà fait La Fayette. Avant de se résoudre à cette trahison — c'en est une — il a tenté de soulever son armée pour marcher sur Paris afin de restaurer la monarchie en plaçant sur le trône le fils de Louis XVI, le petit Louis XVII toujours enfermé au Temple. L'armée, très attachée à la République, s'est indignée. Elle a refusé de suivre son chef.

Imaginez ce que les Parisiens ont pu ressentir en découvrant la trahison de Dumouriez. Chacun se rappelle que Dumouriez était soutenu par les Girondins. Nouvelle raison de haïr ces derniers.

Et voici que des messagers apportent à Paris la plus invraisemblable des nouvelles : la Vendée est en révolte.

On sent que la Bretagne et la Normandie sont prêtes à suivre le mouvement. Par ailleurs de violentes passions agitent le Midi. Déjà on peut prévoir une explosion — qui se produira en effet — à Bordeaux comme à Toulon, à Marseille comme à Lyon.

Est-ce donc un gigantesque complot qui se lève contre la République ? Va-t-on laisser les contre-révolutionnaires anéantir les conquêtes de la Révolution ?

« Soyons terribles ! » dit Danton

Dans les clubs, sur les places, dans les rues, ce n'est qu'un cri contre les conspirateurs et les traîtres. On dénonce leurs complices : les Girondins.

Pour se défendre, ceux-ci attaquent. Sans hésiter, ils accusent Danton d'avoir été le complice de Dumouriez quand celui-ci voulait proclamer roi Louis XVII.

Dans l'enceinte de la Convention, pas un député ne manque. Les tribunes du public regorgent d'une foule enfiévrée. Est-ce décidément la fin de Danton ?

Non. Il bondit à la tribune, hurle plutôt qu'il ne parle, si fort que les vitres tremblent. Il ne s'arrête que deux heures plus tard — oui, deux heures ! Quand il achève, une immense acclamation le salue. Le génial orateur a littéralement écrasé les Girondins.

Ce qui va commencer en France, c'est une nouvelle politique, celle de *salut public*. La majorité de la Convention — les Monta-

gnards et la Plaine — est résolue à faire face par tous les moyens aux ennemis de l'étranger autant qu'à ceux de l'intérieur. On décide d'envoyer dans les départements 82 députés, plus tard appelés *représentants en mission*. Ils doivent galvaniser tous les responsables, activer la levée des 300 000 hommes, épurer l'administration quand elle se révèle trop tiède, faire jeter les suspects en prison.

À Paris, le peuple est si furieux que l'on redoute de nouveaux massacres de Septembre. À tout prix il faut éviter que se reproduisent de telles tueries. Une fois de plus Danton prend la parole :

— Soyons terribles pour empêcher le peuple de l'être !

Il fait décréter la création d'un *Tribunal révolutionnaire* qui juge tous les attentats « contre la liberté, l'égalité, l'unité et l'indivisibilité de la République »

Seule la Convention en nomme les juges, les jurés, l'accusateur public. Les sentences doivent être exécutées dans les vingt-quatre heures, et les condamnés ne peuvent faire appel devant aucune autre juridiction. Leurs biens appartiennent à la République.

Comme il a dit vrai, Danton ! Terrible, on l'a été.

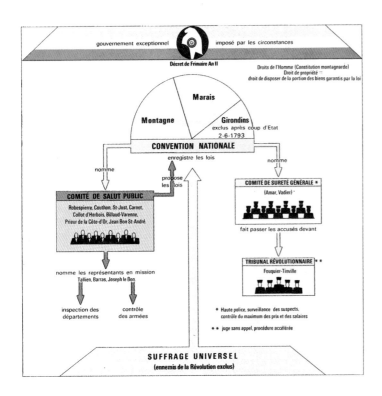

Voici un tableau qui explique comment fonctionne le gouvernement révolutionnaire, à partir du 4 décembre 1793. En partant du bas : tous les Français, à partir de 21 ans, votent pour élire les députés de la Convention nationale, sauf les femmes, les domestiques et les ennemis de la révolution ; c'est le « suffrage universel masculin ». Le demi-cercle bleu, en haut, représente les députés de la Convention, regroupés selon leurs tendances politiques. Le grand Comité de salut public — en orange — est composé de 12 membres qui s'occupent de la guerre et de la diplomatie ; en outre, ce Comité propose les lois à la Convention et contrôle les « représentants ». Ces représentants sont des hommes chargés de faire respecter les lois révolutionnaires au sein des armées et dans les départements. Le Comité de sûreté générale — en vert —, lui, fait respecter les prix et dirige la police ; il fait surveiller et arrêter les suspects qu'il envoie devant le tribunal révolutionnaire.

Le triomphe des Montagnards

Voici un sans-culotte. C'est le surnom donné aux patriotes portant le pantalon, en opposition aux nobles et aux bourgeois portant la culotte qui s'arrête au genou. Les sans-culottes sont des hommes de petite condition : des ouvriers, des aides, des colporteurs...

*Page de droite.
Dans les permières heures du 2 juin 1793, Hanriot, commandant de la Garde nationale, dirige des canons vers les Tuileries. Il va cerner la Convention. Au nom de la Commune de Paris, il réclamera l'arrestation des députés Girondins; faute de quoi, il bombardera le Palais et la Convention qui y siège. Les députés doivent se résigner à voter l'arrestation de vingt neuf d'entre eux. C'est la fin du pouvoir girondin.*

Les Girondins, par la grande voix de Vergniaud, dénoncent cette nouvelle « inquisition ». Ils ne réussissent qu'à se rendre encore plus impopulaires.

La Convention va plus loin. Elle a compris que la situation extrême où l'on se trouve exige un gouvernement où les pouvoirs, plus concentrés qu'au sein d'une assemblée, seront d'autant plus efficaces. Ainsi naît le *Comité de salut public*, dans lequel s'incarnera désormais l'action révolutionnaire portée à son plus haut degré d'énergie.

La fin des Girondins

Ce soir-là, 3 avril 1793, dans la grande salle du club des Jacobins éclairée par des lampes à huile et des chandelles, Robespierre parle. Il a remonté sur son front ses lunettes aux verres fumés. Il n'a pas besoin de forcer sa voix coupante : on l'écoute avec dévotion, dans un silence absolu.

— Il faut lever une armée révolutionnaire, dit-il, il faut que cette armée soit composée de tous les patriotes, de tous les sans-culottes. Il faut que les faubourgs soient la force et le noyau de cette armée...

Est-ce pour aller aux frontières qu'il veut rassembler cette armée ? Non. Il s'agit de disposer dans Paris d'une force sûre que l'on pourra faire agir à tout moment pour appliquer la politique qu'exigent les circonstances.

Pour le moment cette politique se résume en très peu de mots : il faut se débarrasser des Girondins, ces gêneurs. La force armée nécessaire, on la trouvera dans les sections. La Commune, toujours prête à ce genre d'action, coordonnera l'opération.

Dans la nuit du 1er au 2 juin, des attelages roulent à grand bruit dans la capitale. Les Parisiens qui se penchent à leurs fenêtres découvrent que ce sont des canons que l'on traîne. A cette heure ?

Au vrai cette artillerie a une unique destination : les Tuileries.

Quand le jour se lève, on s'aperçoit que la Convention tout entière est littéralement cernée par une enceinte de canons, tous braqués sur elle.

Les députés, tremblants, sont à leur banc. La porte bat, un petit homme botté, en uniforme de général, se présente : c'est le nouveau chef de la garde nationale, un certain Hanriot. Il tient ses ordres de la Commune.

Il regarde les députés avec un mépris insultant et, d'une voix gouailleuse, il annonce qu'il leur faut expulser sur-le-champ les Girondins qu'il nomme : ils sont vingt-deux.

— Si vous ne les livrez pas, moi Hanriot, je détruirai la Convention à coups de canon !

Plus tard, vous découvrirez que les hommes courageux sont l'exception. Cette fois, les Conventionnels se montrent particulièrement lâches.

Vingt-deux députés girondins, ainsi que deux ministres du même parti, sont chassés de la Convention. Leur arrestation est ordonnée. Parmi ceux que l'on conduit en prison, il y a Brissot et Vergniaud. D'autres parviennent à fuir en province.

Les Montagnards triomphent. Surtout trois hommes : Robespierre, Danton, Marat.

La fin de « L'Ami du peuple »

Vingt départements contre la Convention

Perdue dans la foule qui, à Caen, entoure la tribune, une jeune fille de vingt-cinq ans, cheveux châtains et yeux clairs, élégante et légère d'allure, écoute les discours passionnés des girondins Buzot et Barbaroux. Cette jeune fille s'appelle Charlotte Corday.

Les orateurs, eux, sont de ceux qui ont réussi à quitter Paris. Furieux de ce qu'ils considèrent comme un attentat contre la liberté, ils sont bien décidés à ameuter la province contre la capitale. Vingt départements, leur donnant raison, ont déjà levé l'étendard de la révolte. Les royalistes contrôlent Lyon et ils ont jeté en prison la municipalité jacobine. Ils achèvent de réunir une armée de 20 000 hommes prêts à marcher contre la Convention. Marseille, Arles, Avignon, deviennent des « États » royalistes.

Les 83 départements créés en 1790 et les provinces de l'ancienne France. La Meurthe-et-Moselle n'existe pas encore ; elle sera créée en 1871. À sa place, on trouve deux départements, l'un de Meurthe, l'autre de Moselle. Il n'y a pas non plus de Territoire de Belfort, pas de Tarn-et-Garonne, pas de Savoie, de Haute Savoie ni d'Alpes Maritimes, ni de Vaucluse ; enfin, pas de Rhône, mais un département de Rhône-et-Loire. En juillet 1793, 20 départements sur 83 sont en rébellion contre la République.

118

Toulon proclame roi Louis XVII. Bordeaux entre en rébellion puis Toulouse et Nîmes. Dans l'Ouest, le département du Calvados fait arrêter les Conventionnels et réunit 4 000 hommes contre la Convention. Le Finistère, l'Ille-et-Vilaine, les Côtes-du-Nord, la Mayenne se jettent dans ce mouvement que l'on va appeler, parce qu'il associe plusieurs départements, *fédéraliste*.

Là, à Caen, sur cette tribune drapée de tricolore, que crient les députés girondins à la foule qui s'exalte ? Que la Constitution a été violée par des criminels. Que l'on a foulé aux pieds la loi. Que le principal coupable est Marat, cet homme assoiffé de sang qui rêve de voir 100 000 Français conduits à la guillotine.

Marat ! Charlotte Corday vibre avec ces orateurs chaleureux. Elle est tout à sa haine.

Alors elle décide de tuer Marat.

Le couteau de Charlotte Corday

Elle retient une place dans la diligence, arrive dans la capitale, va acheter au Palais-Royal un couteau. Le prix : 40 sols.

Ce 13 juillet 1793, Paris traverse une écrasante canicule. Charlotte est vêtue d'une robe brune et, sur ses épaules, elle a jeté un léger fichu. Elle s'est procuré l'adresse de Marat, 20, rue des Cordeliers.

Il est 7 heures du soir. Elle monte l'escalier. Au premier étage, elle sonne. La compagne de Marat, Simonne Evrard, lui ouvre. Charlotte dit qu'elle vient de Caen et qu'elle veut voir Marat.

13 juillet 1793 : Charlotte Corday a 25 ans. Elle vient d'assassiner Marat. Immédiatement arrêtée, elle est guillotinée le 17 juillet.

De la pièce voisine, Marat l'a entendue. Il est dans sa baignoire. Il souffre d'une maladie de peau qui lui cause d'insupportables démangeaisons et seuls les bains le soulagent. Il passe chaque jour plusieurs heures dans l'eau. C'est sur une planche jetée en travers de la baignoire qu'il rédige ses articles de *l'Ami du peuple*.

Il ordonne que l'on fasse entrer cette jeune fille qui détient sans doute des informations précieuses sur la révolte girondine.

Elle s'approche, voit Marat la poitrine découverte et la tête enveloppée dans un linge humide. Il l'interroge :

— Combien y a-t-il de députés girondins réfugiés à Caen ?

— Dix-huit.

— Quels sont leurs noms ?

Elle les énumère. Il prend sa plume pour les noter. Soudain, elle tire le couteau qu'elle dissimule dans son corsage. Frappant de haut en bas, elle plante la lame dans la poitrine de Marat.

La loi des suspects

LA GUILLOTINE.

Elle doit son nom au docteur Guillotin, membre de l'Assemblée constituante. Il avait proposé de remplacer les anciens supplices de la mise à mort des condamnés par une nouvelle technique moins « barbare » : une « machine à couper la tête », déjà employée en Italie. À Paris, elle fut d'abord installée place de la Révolution pendant un an, puis place de la Bastille pendant trois jours, enfin place du Trône-Renversé — actuellement place de la Nation — pendant six semaines.

L'ami du peuple a poussé un cri terrible. Il s'effondre. Il est mort.

Charlotte Corday n'a pas cherché à fuir. Elle est arrêtée quelques instants plus tard. Traduite devant le Tribunal révolutionnaire, elle est condamnée à mort.

Quand on la conduit à la guillotine elle la regarde longuement, comme fascinée. Le bourreau s'étonne. Elle explique :

— Je n'en ai jamais vu. J'ai bien le droit d'être curieuse !

Elle meurt courageusement mais des milliers de patriotes, littéralement enragés, jurent que Marat sera vengé.

Le Comité de salut public

Ces hommes réunis autour d'une longue table, ce sont les membres du Comité de salut public. Ils sont dix — ils seront parfois douze — et, tous élus par la Convention, ils gouvernent la France. Pour bien montrer qu'ils tiennent désormais entre leurs mains les destinées de la République, ils se sont installés aux Tuileries, au rez-de-chaussée du Pavillon de Flore, dans les appartements du roi guillotiné.

Regardez-les délibérer dans la *salle verte* protégée par des canons braqués vers l'extérieur. Ils vivent là, volontairement reclus. De jour et de nuit ils se penchent sur d'énormes dossiers, règlent des affaires immenses, décident du sort des armées, de la vie ou de la mort des citoyens. Ils ne s'autorisent aucun repos. Ces dix hommes transfusent à la nation entière la fabuleuse volonté de vaincre qui les habite. Parfois, lorsque l'un ou l'autre tombe de sommeil, il se jette sur un matelas, dort trois heures et reprend sa place.

Qui sont-ils ? Voici Robespierre, que vous connaissez bien. Il se fait surtout le porte-parole du Comité à la tribune de la Convention. Bientôt il inspirera toute sa politique. Son disciple Saint-Just, jeune homme implacable, qui se charge des affaires de haute police et, de temps à autre, part pour l'armée forcer les généraux à la victoire. Couthon, paralytique qui ne se déplace qu'en chaise roulante, se consacre à la politique intérieure. Carnot, ancien officier, s'occupe entièrement de la conduite de la guerre. La diplomatie requiert tous les instants de Hérault de Séchelle et de Barère. Jean Bon Saint-André a la haute main sur la marine. Billaud-Varenne et Collot-d'Herbois, qui préconisent une révolu-

tion absolue, correspondent avec les représentants en mission.
Lindet, bourreau de travail, accomplit des prodiges pour l'approvisionnement des Français. Prieur de la Marne est sans cesse en
chemin pour transmettre les ordres d'un bout à l'autre du pays.

Comment ne ploient-ils pas les épaules devant la situation
effrayante qui s'offre à eux ? Songez-y : le prince de Cobourg
menace avec 20 000 hommes la frontière du nord. À l'est,
Mayence a capitulé, l'Alsace est envahie. La Savoie est occupée par
les troupes du roi de Sardaigne, les Espagnols avancent en
Roussillon. Toulon vient d'ouvrir son port aux Anglais. En
Vendée, les insurgés triomphent et les armées républicaines sont
tenues en échec. Girondins et royalistes contrôlent des provinces
entières.

Se décourager ? Beaucoup l'auraient fait. Le Comité de salut
public, lui, choisit de faire face.

Le 23 août 1793, la Convention décrète la *levée en masse*, c'est-
à-dire la mobilisation de tous les hommes en état de combattre.
Elle fixe le prix des denrées, un *maximum* à ne pas dépasser. Pour
mettre hors d'état de nuire tous ceux qui complotent contre la
République, elle vote la *loi des suspects*. Billaud-Varenne a expliqué :

— Il faut aller chercher nos ennemis dans leurs tanières !

Sont déclarés suspects et sur-le-champ arrêtés ceux que l'on
pense être partisans de la « tyrannie » et du fédéralisme, les
ennemis de la liberté, les parents d'émigrés, les émigrés rentrés en
France, ceux à qui les municipalités ont refusé un certificat de
civisme et même « ceux qui n'ont rien fait pour la liberté ». Ces
formules sont bien vagues et souvent contraires aux Droits de
l'homme.

La Terreur et la Vertu

« Liberté, que de crimes... »

Une fois de plus, Robespierre est monté à la tribune de la Convention. Il sait que de nombreux députés de la Plaine sont effrayés par les mesures que préconise le Comité. De sa voix cinglante, en appuyant chaque phrase d'un geste tranchant de la main, il explique que de telles mesures sont nécessaires et donc légitimes, car sans elles le salut du peuple serait compromis. Selon l'Incorruptible, il faut que le gouvernement révolutionnaire soit « terrible aux méchants mais favorables aux bons ». Ce gouvernement-là, s'écrie-t-il encore, doit s'appuyer à la fois sur la terreur et sur la vertu :

— La vertu sans laquelle la terreur est funeste, la terreur sans laquelle la vertu est impuissante !

Et la Convention, domptée, vote les lois demandées.

En quelques semaines les prisons se remplissent. Le Tribunal révolutionnaire ne suffit plus à la tâche, il faut nommer de nouveaux juges, totalement dévoués aux Comités de salut public et de Sûreté générale (ce dernier chargé de la police) et un accusateur public, l'impitoyable Fouquier-Tinville.

Une exécution capitale, place de la Révolution. La guillotine, dressée à proximité du jardin des Tuileries, attire beaucoup de monde lors des exécutions. 1 119 personnes ont été guillotinées place de la Révolution. Citons parmi les plus célèbres : Louis XVI, Charlotte Corday, Marie-Antoinette, les girondins, Manon Roland, Danton, Robespierre...

Bientôt, la guillotine fonctionne en permanence sur la place de la Révolution. Parmi ceux qui y montent, il y a cette femme dont l'influence a été si grande sur les Girondins, Manon Roland. En gravissant les marches de l'échafaud elle profère une phrase célèbre :

— Liberté, que de crimes on commet en ton nom !

Sont également envoyés à la guillotine Vergniaud, Brissot et leurs amis, ainsi que Bailly, l'ancien maire de Paris, Barnave, le duc d'Orléans qui, pour marquer son adhésion à la Révolution, s'était fait appeler Philippe Egalité.

De mars 1793 à mai 1794, soit en quatorze mois, le Tribunal révolutionnaire va juger 1535 affaires. Il va prononcer 624 condamnations à mort, 805 acquittements, 60 déportations et 46 renvois devant d'autres juridictions.

Lazare Carnot est avant tout un ingénieur militaire. Il est né en Bourgogne, en 1753, et fait des études à l'École militaire. Il rencontre Robespierre, avec qui il se lie, à Arras. S'occupant toujours de problèmes militaires, il est élu au Comité de salut public en 1793. Là, à force d'énergie et de travail, il devient l'organisateur de la victoire. Il sait distinguer les hommes qui deviendront de grands généraux et c'est à lui que la Convention doit une partie de ses victoires. Il meurt en 1823, exilé, car il avait voté la mort de Louis XVI.

Le grand Carnot

Que de cartes aux murs de ce vaste bureau des Tuileries !

Debout devant une table, un homme de quarante ans, mince, au visage énergique encadré de cheveux bruns, trace à grands traits les plans de la prochaine campagne. Il est membre du Comité de salut public, il se nomme Lazare Carnot.

Autour de lui, ces civils et ces militaires, fraternellement mêlés, constituent le quartier général des armées de la République. Carnot ne veut pas savoir quelles sont les opinions de ces hommes. Il demande seulement qu'ils aient du talent.

Jusque-là, les généraux s'étaient surtout contentés de se défendre. Carnot exige que partout l'on prenne l'initiative :

— Soyez attaquants, répète-t-il, sans cesse attaquants ! Attaquez l'ennemi tous les jours, matin et soir, toujours avec des forces dominantes.

Il faut dire que la levée en masse a procuré à la Convention une force magnifique : 570 000 hommes en décembre 1793. Les nouveaux appelés sont mêlés aux anciens soldats, les premiers apportant dans les batailles un élan neuf, les seconds leur expérience du combat. À cette armée, Carnot donne les chefs, souvent sortis du peuple, qu'elle mérite.

Lazare Hoche, ancien palefrenier, simple caporal en 1789, est nommé en 1793 commandant en chef de l'armée de Moselle à vingt-quatre ans. D'autres n'ont pu, sous la royauté, devenir

La prise de Toulon

Portrait de Manon Roland. Vous l'avez rencontrée au premier chapitre, alors qu'elle visitait Versailles. Elle vient d'être guillotinée avec d'autres girondins, le 7 novembre 1793.

officiers parce qu'ils n'étaient pas nobles. Ils deviennent les généraux de la nouvelle armée française : Marceau, Kléber, Masséna, Augereau.

En présence de Carnot lui-même, Jourdan, un ancien mercier devenu général, attaque au nord, bat les Autrichiens et délivre Maubeuge. Hoche attaque à l'est et oblige les Autrichiens à repasser le Rhin. L'armée des Alpes, commandée par Kellermann, chasse les Sardes. En Roussillon l'avance des Espagnols est stoppée.

En quelques semaines, voici les frontières dégagées ! Reste à rétablir l'autorité de la Convention sur tout le territoire. Les Girondins d'abord. On s'aperçoit vite que le mouvement fédéraliste n'a pas atteint en profondeur les régions qui lui semblaient acquises. L'armée girondine de Normandie est dispersée à Vernon par quelques coups de canon. Dès lors, l'un après l'autre, les départements abandonnent à leur sort les députés vaincus. Des hommes comme Barbaroux et Buzot s'enfuiront en Gironde où ils se donneront la mort. Roland se suicide en apprenant que Manon, son épouse, a été guillotinée.

Restent quelques villes qui semblent bien résolues à faire front contre la Convention. Là, ce ne sont pas les Girondins qui dominent, mais les royalistes. Kellermann — le vainqueur de Valmy — est envoyé devant Lyon. Après un siège de deux mois,

la ville est prise et livrée à une terreur sans merci. Comme la guillotine ne suffit pas, le représentant en mission Fouché ordonne que l'on rassemble des condamnés sur une place et fait tirer sur eux au canon. Jusqu'au nom même de Lyon qui est changé : on l'appellera désormais *Ville affranchie*. De même, quand Marseille tombe, elle devient *Ville sans nom…*

Toulon résiste toujours. Des militaires incapables affirment au Comité que ce grand port, défendu par les Anglais, est imprenable. Va-t-on renoncer ?

Le représentant en mission qui se trouve sur place, un Corse du nom de Saliceti, se désespère lorsque, par hasard, il rencontre un jeune capitaine, compatriote d'Ajaccio, qui se rend à l'armée d'Italie. Sur-le-champ il le nomme commandant de l'artillerie.

D'un jour à l'autre, le capitaine prend tout en main. Il décide du lieu d'où l'on doit bombarder Toulon, de l'endroit où l'on doit attaquer. Si la ville tombe le 18 décembre, c'est que son génie militaire, éclatant aux yeux de tous, a emporté la décision.

Arrivé à Toulon capitaine, il quitte la ville général. Il a vingt-quatre ans. Il se nomme Napoléon Bonaparte.

Le jeune capitaine d'artillerie Napoléon Bonaparte montre les positions où doivent être installés les canons pour bombarder la ville de Toulon, soutenue par la flotte anglaise. Grâce à lui, la ville rebelle est prise le 19 décembre. C'est le début de son ascension.

Les colonnes infernales

Après l'écrasement des Vendéens à Savenay (décembre 1793), le Comité de salut public envoie dans les départements formant la Vendée militaire des « colonnes infernales » chargées de tout détruire. Pendant ce temps, Charette et Stofflet continuent la résistance. Ce dernier reprend Cholet le 10 février 1794, pour quelques heures seulement. Le document ci-dessus évoque le suicide du général républicain Moulin lors de cette seconde bataille de Cholet.

La Vendée : des victoires au martyre

Ils n'ont pas l'air rassurant, ces soldats qui marchent sur la Vendée. Ce ne sont pas précisément des blancs-becs. Beaucoup, sous leurs grosses moustaches, fument ces pipes que l'on appelle brûle-gueule. Ils portent leurs lourds fusils avec l'aisance de vieux combattants. D'après la couleur de leur uniforme, on les appelle les *Bleus*. Ceux qu'ils vont combattre sont, à cause de la couleur du drapeau qu'ils brandissent, les *Blancs*.

D'où viennent-ils ? D'Allemagne où ils se sont bien battus. Ils ont défendu Mayence. Lors de la capitulation de la ville, les Prussiens, en hommage à leur courage, les ont libérés. À une condition : ils ont dû jurer que, pendant une année, ils ne porteraient pas les armes contre la coalition. Ils sont 15 000.

Une aubaine pour Carnot pour qui les victoires répétées des Vendéens restent une obsession lancinante. Puisque les soldats de Mayence ne peuvent plus se battre contre les ennemis de l'étranger, on va les envoyer contre les plus dangereux des ennemis de l'intérieur. Amalgamés aux troupes déjà en place, ils vont former, sous les ordres de Kléber, l'*armée de l'Ouest*.

Elle reçoit des ordres effrayants, cette armée. Pour mettre les rebelles hors d'état de combattre, le Comité décide que l'on détruira systématiquement les régions insurgées. On brûlera les forêts, les villages, on anéantira les récoltes. On chassera les habitants comme des bêtes sauvages. Non seulement ceux qui auront combattu seront abattus sans pitié, mais on en fera autant de leurs « complices », sans épargner les femmes et les enfants.

Nous ne pouvons approuver de tels ordres qui nous terrifient aujourd'hui encore. Il est vrai que nous jugeons après deux siècles dans le confort d'un pays en paix. Pour essayer de comprendre, il faudrait tenir compte de la rage qui a soulevé ces Conventionnels qui agissaient, eux, dans le feu de l'action et jugeaient comme un crime impardonnable la rébellion de Français tirant en pleine guerre dans le dos d'autres Français. Un homme comme Carnot supporte le poids écrasant de la guerre extérieure. Aux Anglais, aux Autrichiens, aux Prussiens, aux Italiens, aux Espagnols, se sont ajoutés les Russes. Carnot sait que leur but est clair : démembrer — c'est-à-dire se partager — la France, comme ils viennent de le faire de la Pologne. Il pense que la victoire de la Vendée affaiblirait à ce point la nation qu'elle signifierait la fin de ce beau et grand pays édifié peu à peu, depuis des siècles, par tant de générations.

Il sait aussi que les émigrés, s'ils regagnaient la France, la livreraient à un sort implacable. Le secrétaire du roi de Prusse écrit à la même époque à leur sujet : « Si on voulait abandonner leurs concitoyens à leurs vengeances, la France ne serait bientôt qu'un monstrueux cimetière. »

Carnot sait enfin que les Vendéens fusillent leurs prisonniers, qu'ils jettent vivants dans des puits les soldats républicains et les recouvrent de pierres, que leurs femmes crèvent les yeux des blessés.

Alors une terrible colère le saisit.

Les Vendéens vont se battre avec un extraordinaire héroïsme, avec aussi l'énergie du désespoir. Pour échapper aux assauts de l'armée républicaine, ils marchent vers Granville, sur la Manche, croyant y trouver les Anglais. Tragique erreur. Il leur faut battre en retraite vers la Loire. Fin décembre 1793, ils sont écrasés à Savenay par le général Marceau.

Commence alors la répression dont le général Turreau prend l'initiative avec ses « colonnes infernales ». Rarement on aura fait preuve de tant de violence et de cruauté. On détruit systématiquement les villages. On met à mort les habitants. Des femmes sont jetées vivantes dans des fours, des bébés embrochés à la baïonnette. Et nous ne comprenons pas : puisque la grande guerre de Vendée est achevée, pourquoi ces nouveaux incendies, ces nouveaux massacres, ces nouvelles victimes ? Plus de cent mille entre janvier et mai 1794 !

Vous vous apercevrez un jour, hélas, que, malgré la prétention des hommes à être civilisés, demeure souvent au fond d'eux-mêmes un reste de barbarie. Nous devons toujours veiller à tenir captif cet instinct qui nous vient des premiers âges de l'humanité. Quand on cesse d'interdire aux hommes de tuer, quand même on les y encourage, on s'expose au pire.

Voici l'un des derniers portraits de Marie-Antoinette, fait à la prison du Temple. Presque méconnaissable, le regard vide, les yeux gonflés, elle porte le costume de deuil depuis déjà huit mois. Ses cheveux sont devenus complètement blancs à force d'angoisse ; elle a 37 ans...

La mort de la reine

Cette femme amaigrie, aux cheveux devenus blancs, serrée dans sa robe de veuve, qui le 14 octobre 1793 à 9 heures du matin, comparaît devant le Tribunal révolutionnaire, n'est autre que celle qui a été reine de France et, pendant tant d'années, a connu l'adulation des Français avant d'encourir leur haine.

Le greffier lit devant elle l'acte d'accusation. Elle entend : « Marie-Antoinette, veuve de Louis Capet, a été depuis son séjour en France le fléau et la sangsue des Français... »

127

Louis XVII est arraché à sa mère, à la prison du Temple. Les révolutionnaires ont en effet décidé que l'influence de celle-ci n'était pas bonne pour l'enfant... La reine, à gauche, lève les bras de désespoir. Elle ne reverra jamais son fils, qui mourra de faiblesse au Temple, deux ans plus tard. La reine, elle, avant d'être condamnée, sera transférée à la prison de la Conciergerie, dans un cachot minuscule.

Les témoins qui défilent à la barre l'accablent ou, bien plus rarement, la défendent. On l'accuse d'avoir dilapidé les finances de la France, d'avoir soutenu la contre-révolution et, en complicité avec l'empereur d'Autriche d'avoir provoqué la guerre contre la République, on l'accuse d'avoir « insinué à Louis Capet cet art de dissimuler et d'agir »...

Quel que soit le jugement que l'on puisse porter sur le rôle de Marie-Antoinette avant et pendant la Révolution, comment ne pas ressentir de la pitié devant cette femme, littéralement seule contre tous, gravement malade, parvenue au fond du désespoir, dont le mari a été guillotiné et à qui l'on a arraché son fils de huit ans ? On l'a placée sur une estrade, afin que chacun puisse la voir. Là, elle se défend pied à pied. Elle fait face.

L'audience reprend le lendemain. Le président Herman, vêtu, comme les autres juges, d'un habit et d'un manteau noirs, interroge un témoin :

— L'accusée ne vous a-t-elle pas engagé à lui remettre l'état exact de l'armée française ?

— Oui.

— Vous a-t-elle dit quel usage elle voulait en faire ?

— Non.

— N'était-ce point pour le faire passer à l'empereur d'Autriche ?

Comme elle frémit ! Elle sait bien, elle, qu'elle a communiqué à l'Autriche le plan de campagne de l'armée française. Le Tribunal en a-t-il connaissance, lui aussi ? En fait, il l'ignore, alors que nous le savons — nous — grâce aux documents retrouvés depuis. Cette

ignorance pourrait être la chance de Marie-Antoinette. Mais rien ne peut la sauver.

C'est la mort que requiert Fouquier-Tinville. La mort que prononce le Tribunal, à l'unanimité.

Le lendemain, à 11 heures du matin, elle monte, non pas dans un carrosse comme Louis XVI, mais dans une simple charrette tirée par un gros cheval. Vêtue d'une robe blanche, coiffée d'un petit bonnet de même couleur, elle s'assied sur une planche.

Elle traverse Paris. En signe de fête, les maisons sont décorées de drapeaux. *Le Moniteur*, journal officiel de la République, écrira : « On n'apercevait sur son visage ni abattement, ni fierté et elle paraissait insensible. »

Elle monte sans aide à l'échafaud. Par mégarde, elle marche sur le pied du bourreau. Elle murmure :

— Faites excuse, monsieur le bourreau.

Le couperet tombe.

Cependant que Sanson montre sa tête au peuple et que s'élève, rituellement, le cri de *Vive la République*, tous ceux qui sont présents sentent que, ce qu'ils viennent de vivre, c'est décidément la fin d'un monde.

Marie-Antoinette est guillotinée le 16 octobre 1793. Elle montre beaucoup de courage et de calme, malgré les cris de joie et les insultes qui l'accompagnent. « Plus rien ne peut me faire du mal » a-t-elle dit.

LA FIN DES GÉANTS

L'anticléricalisme

Qu'est-ce donc, devant le chœur de Notre-Dame de Paris, que cette montagne de carton surmontée d'un temple à la mode antique ?

Pourquoi la nef est-elle remplie d'une foule de patriotes, plus bruyants d'ailleurs que recueillis ? Pourquoi les chœurs de l'Opéra sont-ils là, au grand complet ? Pourquoi, à pleine voix, chantent-ils *la Marseillaise* et *Veillons au salut de l'Empire* ?

La vérité est que, le 10 novembre 1793, la Commune de Paris a décidé de célébrer la « Fête de la Liberté et de la Raison ». Par la voix de Chaumette, son procureur-syndic, elle a convié les Conventionnels à y assister et, comme ceux-ci n'ont rien à lui refuser, ils sont accourus dans cette basilique qui, depuis le Moyen Âge, a entendu prononcer tant de prières et, célébrer tant de fastes religieux. Avides de spectacles gratuits, les sans-culottes les ont rejoints.

Par l'allée centrale, s'avance un cortège de jeunes filles vêtues de blanc. Elles brandissent des vases où brûlent des parfums. Elles gravissent lentement les parois du rocher de carton. Elles s'arrêtent devant un fauteuil vide tapissé de verdure, placé devant les colonnes du temple. Alors une porte s'ouvre. Une jeune femme paraît. Elle est jolie, mais dotée d'un embonpoint qui fait sourire plus d'un. C'est une figurante de l'Opéra, Mlle Aubry. Habillée elle aussi de blanc, elle a coquettement juché sur sa tête le bonnet rouge des révolutionnaires. D'un pas assuré elle va s'asseoir, au milieu des feuilles et des branches, sur le fauteuil vide.

Le chœur chante à tue-tête :

Amour sacré de la patrie...

Les jeunes filles tendent vers Mlle Aubry les vases d'où s'élèvent des odeurs fortes. Du public une longue acclamation jaillit. Elle monte vers la déesse Raison : le personnage qu'incarne Mlle Aubry.

La déesse Raison

Vous vous demandez ce que peut signifier une telle cérémonie ? Voici l'explication. Vous n'avez pas oublié les drames qu'avait causés le serment exigé des prêtres lors de la Constitution civile du clergé. Vous connaissez le destin de ceux qui ont refusé de jurer. Les autres ont continué à exercer leur ministère. Ils sont devenus les *prêtres constitutionnels*.

Pour leur malheur, ces derniers n'ont pas caché leurs sympathies pour les Girondins. Après la chute de Brissot et de ses amis, les Montagnards se sont empressés de dénoncer leurs complices, les prêtres constitutionnels. « Tous les curés dans le même sac » : c'est à peu près l'exclamation que l'on a entendue partout dans le camp des sans-culottes. Laissant éclater leur fureur, ceux-ci en ont conclu que la religion catholique tout entière devait être anéantie.

On s'est rué chez l'évêque constitutionnel de Paris, Gobel, on l'a traîné de force à la Convention, on l'a obligé à renoncer à son ministère. Dans leurs paroisses les curés ont subi le même sort. On les a molestés, arrêtés, jetés en prison. On est allé dans les sacristies chercher les objets du culte. On les a promenés dans Paris en les ridiculisant.

Cette vague d'anticléricalisme — ainsi appelle-t-on l'hostilité que certains portent à la religion et aux prêtres — a atteint son comble à Notre-Dame, le jour de la fête de la déesse Raison. Puisque la religion n'est faite que de superstitions, il faut la remplacer par le culte de la raison !

Ce soir-là, un homme comme Chaumette ne doute pas un instant que l'*athéisme* — croyance de ceux qui nient l'existence de Dieu — a triomphé.

Il se trompe. L'un des Conventionnels a observé cette « mascarade » avec réprobation d'abord, écœurement ensuite.

C'est Robespierre. Le connaissant, nous pouvons déjà prévoir que cette hostilité ne va pas longtemps rester muette.

Le 10 novembre 1793, une procession est organisée à Notre-Dame de Paris, en l'honneur de la « déesse Raison ». Des jeunes gens portent une bannière antireligieuse et des piques surmontées du bonnet rouge.

133

Un nouveau calendrier

Le calendrier révolutionnaire

Je viens de vous dire que cette cérémonie s'était déroulée le 10 novembre. C'est à la fois vrai et faux. Car, officiellement, il n'existe plus de 10 novembre. L'ancien calendrier est aboli.

La Convention adopte le calendrier *républicain*. Au lieu de 10 novembre 1793, la loi oblige à dire et écrire : 20 brumaire an II.

Comme la Convention, peu de temps avant, a décrété le *système décimal* qui va conquérir le monde en unifiant, de dix en dix, toutes les mesures, elle s'est demandé pourquoi on ne raisonnerait pas de même en ce qui concernait la mesure du temps.

L'an I de l'ère républicaine va donc partir du 22 septembre 1792, date de la proclamation de la République. On partagera l'année en douze mois de trente jours chacun. La Terre tournant autour du Soleil en trois cent soixante-cinq jours — les Conventionnels n'ont pas pu modifier cela — il reste cinq jours, appelés *sans-culottides*, période que les Français doivent consacrer à fêter la liberté.

Les mois ne sont plus divisés en semaines de sept jours, mais en décades de dix jours. On ne parle plus de lundi, mardi, etc, mais de *primidi, duodi, tridi, quartidi, quintidi, sextidi, septidi, octidi, nonidi, décadi*. On se repose le décadi, une fois tous les dix jours, alors que le dimanche avait l'avantage de revenir tous les sept jours. Inutiles de préciser que le décadi ne fait pas toujours l'unanimité !

— À quoi sert votre calendrier ? demande un jour l'évêque constitutionnel Grégoire au conventionnel Romme.

— Il sert, répond Romme, à supprimer le dimanche.

L'auteur du calendrier républicain n'est autre que Fabre d'Eglantine, l'ami de Danton. Pour remplacer les noms des mois anciens — janvier, février, etc. — il a trouvé des appellations poétiques et charmantes qui aujourd'hui encore nous séduisent. Chaque mois évoque une période de l'année, le climat d'une saison, le renouvellement de la nature. Voici, pour le printemps, *germinal, floréal, prairial* : le temps où les plantes germent, où elles fleurissent, le temps où l'on fauche l'herbe des prés. Pour l'été, *messidor, thermidor, fructidor* : le temps des moissons, de la chaleur, des fruits. Pour l'autonne, *vendémiaire, brumaire, frimaire* : le temps des vendanges, des brumes, des frimas. Pour l'hiver, *nivôse, pluviôse, ventôse* : le temps des neiges, des pluies, des vents.

Une autre idée de Fabre d'Eglantine vous apparaîtra sûrement moins heureuse. Enflammé par la fureur d'anticléricalisme à la

VENDÉMIAIRE

La Convention vient de créer le calendrier républicain. Les jours de la semaine et les mois portent un nouveau nom. Les années se comptent à partir du 22 septembre 1792, date de création de la République. Voici un dessin illustrant « vendémiaire », le mois des vendanges et du raisin.

mode, il a décidé de remplacer les noms des « prétendus saints » par « tous les objets qui composent la véritable richesse nationale ». Chaque journée a donc été placée sous le signe d'un légume, d'un fruit, d'un animal domestique ou d'un instrument agricole : potiron, topinambour, concombre, truffe, rhubarbe, pissenlit ; vache, cochon, cheval ; hache, pioche, arrosoir.

Tant pis pour les nouveau-nés à qui des parents dénués d'imagination infligent le nom du jour ! Des patriotes n'hésiteront pas à se débaptiser eux-mêmes. Le Conventionnel Milhaud change son prénom de Jean-Baptiste pour celui de Cumin. Le général Peyron n'hésite pas à se faire appeler Myrte.

Savez-vous combien de temps va vivre le calendrier républicain ? Treize ans. Napoléon sera empereur depuis plus d'un an lorsque, le 1er janvier 1806, on reviendra à l'ancien calendrier.

Pauvre calendrier républicain ! Les Français commençaient seulement à s'y habituer…

Portrait du conventionnel Milhaud. Pour honorer le nouveau calendrier Républicain, ce patriote enthousiaste a remplacé son prénom, Jean-Baptiste par « Cumin » ! Remarquez le grand chapeau empanaché de plumes tricolores.

La fureur de Danton

Dans son appartement de la cour du Commerce, au milieu de ce quartier des Cordeliers dont il reste l'incontestable vedette, Danton laisse éclater sa colère.

Près de lui, une toute jeune femme de seize ans le regarde avec un mélange d'adoration et de crainte : c'est Louise, sa seconde femme. Devenu veuf, il l'a rencontrée, en est tombé follement amoureux et l'a épousée. Il a même, pour lui plaire, fait bénir en secret son union — lui, si fougueux révolutionnaire — par un prêtre réfractaire !

Ces dernières semaines, il les a passées avec elle dans sa maison familiale d'Arcis-sur-Aube.

Ce qui le rappelle à Paris, ce sont les avertissements de ses amis, fort inquiets de son sort. Dans les clubs, dans les journaux révolutionnaires, on attaque de plus en plus Danton. Que lui reproche-t-on ? Des opinions qu'il n'a pas eu la prudence de cacher. Quand on est venu lui apprendre la mort des Girondins, il s'est écrié avec amertume :

— Nous méritons tous la mort autant que ceux-là. Nous subirons leur sort les uns après des autres !

Il n'a pas approuvé davantage l'exécution de la reine :

— En la conduisant à l'échafaud, on a détruit l'espoir de traiter avec les puissances étrangères !

135

Les Indulgents

Ce que lui reprochent ses adversaires, c'est d'être devenu *modérantiste*, c'est-à-dire partisan d'une politique d'apaisement. On appellera d'ailleurs bientôt Danton et ses amis : les *Indulgents*.

Là, cour du Commerce, devant sa jeune épouse, il éclate : il vient d'apprendre que Robespierre a juré sa perte. Selon l'Incorruptible, tant que la Révolution aura à faire face à la menace toujours redoutable de l'étranger et des contre-révolutionnaires, toute politique de faiblesse serait un crime. Rien ne doit briser l'élan colossal qui soulève la République contre ses ennemis.

Danton veut mettre fin à la Terreur. Robespierre estime que cette Terreur est nécessaire car, sans elle, l'audace des adversaires de la Révolution ne connaîtrait plus de bornes. Danton veut faire la paix avec l'étranger. Robespierre jure que si l'on signe la paix avant d'avoir gagné définitivement la guerre, c'en sera fait de la Révolution.

En fait tout oppose les deux hommes. Regardez bien leurs portraits : il suffit de les voir pour comprendre qu'ils sont dotés de tempéraments totalement différents l'un de l'autre.

Si ces deux géants se font la guerre, qui triomphera ? Danton continue de marcher de long en large, comme un tigre en cage. Soudain, il s'immobilise :

— J'écraserai Robespierre !

Hébert et les malheurs du peuple

Alors que l'hiver se fait de plus en plus rigoureux, un nom est à Paris sur toutes les lèvres : celui d'Hébert. On s'arrache son journal, *le Père Duchesne*, de plus en plus violent, de plus en plus ordurier.

Jacques-René Hébert a trente-six ans. Non seulement il est journaliste, mais il est l'adjoint — on disait substitut — du procureur général de la Commune Chaumette. Ce double rôle lui procure une influence indiscutable sur le peuple de la capitale.

Les lecteurs du *Père Duchesne* imaginent facilement le rédacteur des articles qu'ils apprécient à la ressemblance du dessin qui figure à la première page du journal : assis dans un intérieur modeste, un visage brutal et vulgaire, une pipe entre les dents. Le vrai Hébert est un homme frêle, élégant, parfaitement bien élevé. Pour comble, alors qu'il dénonce chaque jour les prêtres et le christianisme, il a épousé une ancienne religieuse !

Le thème sur lequel il revient sans cesse est celui des souffrances du peuple. Celles-ci sont bien réelles. La sécheresse s'est abattue sur la France durant l'été 1793. Les rivières se sont tellement asséchées que les moulins à eau se sont arrêtés : impossible de moudre le grain. Aussi le pain est-il une fois de plus devenu rare. Les files s'allongent lamentablement aux portes des boulangeries.

Qui va pousser le peuple à se soulever ? Hébert. Qui lui suggère de marcher sur la Convention, le 4 septembre 1793, pour réclamer du pain ? Hébert. C'est sous son impulsion qu'on été votées la loi des suspects et la loi du maximum. Il est à l'origine de la politique antireligieuse qui aboutit à chasser les fidèles des églises, à briser les statues des saints et à saccager quantité de trésors artistiques. La fête de la déesse Raison est en grande partie son œuvre.

Quand Danton regagne Paris, il ne cache pas que la démagogie — politique qui flatte outrageusement le peuple — d'Hébert lui soulève le cœur. Ce qui déchaîne sa colère, c'est que Hébert l'accuse d'être le complice des « corrompus ».

Voilà, dans cette histoire si prodigieusement riche de la Révolution, où tout change et se précipite presque chaque jour, un mot que nous n'avons pas encore lu et un épisode absolument nouveau.

Vous apprendrez un jour que les hommes à qui nous confions le pouvoir sont exposés à de nombreuses tentations. Il existe toujours des gens qui, pour obtenir des avantages, sont prêts à remettre de grosses sommes d'argent aux politiciens. Cela s'est produit de tout temps, et notamment sous la Révolution. L'immense majorité des élus du peuple est restée parfaitement intègre mais, parmi ceux qui ont accepté ces cadeaux en argent que l'on appelle « pots-de-vin » figure Fabre d'Eglantine.

Hébert dénonce non seulement Fabre d'Eglantine mais celui que l'on sait son ami : Danton.

Robespierre défend Danton

Danton parle et, comme toujours, la Convention est subjuguée. Parce qu'il s'est éloigné pendant de longues semaines, on l'a cru affaibli. Parce que Hébert l'a dénoncé, on l'a cru terrassé. Quelle erreur !

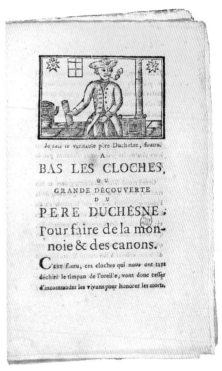

Jacques Hébert, ici dessiné de profil, occupe une place très importante à la Commune de Paris. Également journaliste, il publie un journal extrêmement violent et grossier : le Père Duchesne, dont vous voyez une page, en haut. Porte-parole des sans-culottes, il réclame la guillotine pour tous.

Hébert menace la République

Et il attaque, Danton! Quand en aura-t-on fini avec ces « mascarades antireligieuses », aussi stupides qu'écœurantes? La Convention frémit car elle a compris que Danton désigne Hébert et l'on croyait Hébert intouchable. Mais Danton poursuit de plus belle :

— Ce que le peuple veut de nous, c'est de le faire jouir des conséquences de notre Constitution!

Autrement dit : nous avons conquis la liberté, le moment est venu d'en profiter. La Terreur a pu être utile, mais elle ne doit plus s'appliquer qu'aux « véritables ennemis de la République ». Danton cite Henri IV qui a su renoncer à la vengeance. Il crie que le peuple l'imitera, car il connaît le peuple.

Après un long moment de stupeur — il y a longtemps qu'un tel langage a été tenu dans cette salle — la Convention applaudit.

Sans tarder, au club des Jacobins, Hébert va contre-attaquer. Lui et ses amis dénoncent Danton comme complice des « contre-révolutionnaires ». Accusation terrible qui peut mener à la guillotine. Danton est-il perdu? Non. A la surprise de tous, Robespierre prend sa défense.

Pourquoi?

La lutte que se livrent Danton et Hébert prend place en pleine période de Terreur. Les arrestations et condamnations sans preuves se multiplient. Cette scène illustre l'appel des condamnés à mort. Ceux qui vont partir pour l'échafaud s'arrachent à leur famille ou à leurs amis emprisonnés avec eux.

Parce qu'il déteste autant que Danton les « mascarades antireligieuses ». Il s'est éloigné du catholicisme, mais il croit profondément en Dieu. Hébert, lui, nie Dieu et prône l'athéisme. En outre, Hébert, par ses écrits, par ses discours, est cause d'une agitation quasi quotidienne. Robespierre déteste le désordre qui, selon lui, nuit à la Révolution. Il compatit aux souffrances des humbles et, avec Saint-Just, il a préparé des lois — celles de ventôse — qui prévoient la répartition des biens des suspects entre les citoyens les plus malheureux. Mais il pense qu'il existe des tâches plus urgentes que de disperser des manifestations de ménagères en colère. Hébert excite le peuple contre la Convention. Hébert fait perdre du temps au Comité de salut public. Aux yeux de l'Incorruptible il est désormais un danger pour la République. Sans le savoir, Danton, en attaquant Hébert, a rendu un grand service à Robespierre qui, désormais, le protégera.

Hébert est encore en sursis. Pour combien de temps ?

Camille Desmoulins défend les idées de Danton et de Robespierre. Il est le fondateur du journal « le Vieux Cordelier ».

Je briserai cette sacrée guillotine

Cet éternel adolescent, frémissant de vie et de gaieté, affligé d'un léger bégaiement, qui écoute passionnément Danton lui exposer ses projets, c'est Camille Desmoulins.

Pour l'Histoire, Camille — que tous les révolutionnaires appellent par son seul prénom — restera toujours l'homme du 14 juillet, celui qui, au Palais-Royal, a appelé le peuple à prendre la Bastille. Il jouit, à la fin de 1793, d'un singulier privilège : il est à la fois l'ami de Danton et celui de Robespierre dont il a été le condisciple au collège Louis-le-Grand.

Que dit Danton à Camille ?

—Prends ta plume et demande qu'on soit clément !

Fort de l'appui de Robespierre, Danton est décidé à aller de l'avant. Ce qu'il veut, c'est que Desmoulins publie un journal qui prendra Hébert à la gorge. Il est sûr du talent de plume de Camille autant qu'il est confiant dans ses propres dons d'orateur. Il combattra donc à la tribune cette Terreur qui multiplie ses ravages.

— Je briserai cette sacrée guillotine ! s'écrie-t-il. Mieux vaut cent fois être guillotiné que guillotineur !

Il n'a pas peur, d'ailleurs :

—Avec du temps, j'arriverai à apprivoiser ces bêtes farouches !

De la disette à la famine

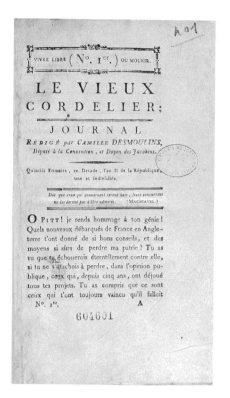

Le public s'arrache les numéros du « Vieux Cordelier ». **Voici le n° 1 paru le 5 décembre 1793.**

Le dessin de la page de droite montre une rue de Paris pendant l'hiver de 1793-1794. Après des récoltes médiocres, un été trop chaud, l'hiver est d'une rigueur exceptionnelle. Le blé et le riz, importés, n'arrivent pas à destination car le gel, puis le dégel rendent les rivières impraticables, et ravinent les routes. Le bois manque pour se chauffer et faire cuire les aliments... Si les campagnes connaissent la disette, les villes subissent franchement la famine. À Paris, le prix de la viande a été multiplié par 5, celui des pommes de terres (gelées) par 10. La mortalité a presque doublé dans certaines villes.

Enthousiaste, Camille l'écoute développer son programme. Il n'hésite pas un instant. En souvenir des luttes qu'ils ont livrées ensemble dans le district des Cordeliers, le journal qu'il va publier s'appellera *le Vieux Cordelier*.

Quel succès ! Le public s'arrache les numéros du *Vieux Cordelier*, car la prose audacieuse de Camille correspond à ses pensées secrètes : « Ouvrez les prisons à ces deux cent mille citoyens que vous appelez suspects, car dans la Déclaration des droits de l'homme, il n'y a point de maison de suspicion, il n'y a que des maisons d'arrêt. »

Camille, tout heureux, a apporté le premier numéro à Robespierre. Celui-ci fronce un peu les sourcils car cet appel a la clémence ne lui convient nullement. Mais comme Camille tire à boulets rouges sur Hébert, Robespierre laisse faire, tout en mettant en garde son ami : qu'il se souvienne que certaines limites ne doivent pas être franchies !

De numéro en numéro, le succès du *Vieux cordelier* se mue en triomphe. Desmoulins oublie toute prudence. Il demande que l'on crée un « Comité de clémence » : « car la clémence est aussi une mesure révolutionnaire, et la plus efficace de toutes ! »

Pour Robespierre, c'est trop. A la Convention, sur un ton glacial, il condamne la proposition de Camille :

— Le gouvernement révolutionnaire doit aux bons citoyens toute la protection nationale. Il ne doit aux ennemis du peuple que la mort.

Sur tous les bancs, les applaudissements éclatent. A ce moment précis, beaucoup de Conventionnels se disent que Camille Desmoulins est perdu.

Paris a faim

Comme on a eu froid, pendant l'hiver 1793-1794 ! À l'approche du printemps, la température se révèle plus douce, mais l'approvisionnement de Paris est pire qu'il n'a jamais été. On en est maintenant à se battre aux portes des boulangeries. Sur les marchés, on voit des hommes et des femmes, furieux de ne rien trouver pour nourrir leurs enfants, se précipiter d'un étal vide à l'autre, hurler des injures, éclater en sanglots. Un contemporain écrit : « On dirait que Paris est déjà en proie aux horreurs de la famine ».

On manque à ce point de tout que beaucoup de Parisiens sortent de Paris et s'élancent sur les routes au-devant des paysans qui apportent leurs produits à vendre. Ils se jettent sur les charrettes pour s'emparer de ce qu'ils y trouvent. Un témoin raconte : « Les uns payaient, les autres emportaient sans payer. Les paysans désolés juraient de ne plus rien apporter à Paris. »

Ces images apparaissent suffisamment dramatiques pour que vous compreniez le sentiment qui domine dans la capitale : le désespoir.

La fin des Enragés

Hébert hurle de peur avant d'être guillotiné

Il faut reconnaître que Hébert dénonce avec plus d'acharnement que quiconque cette situation insupportable. Dans son *Père Duchesne* il jette feu et flammes. Mais il ne propose aucune explication sérieuse de cette crise. Il s'attaque autant aux gros négociants qu'aux petits commerçants, oubliant que la plupart de ces derniers sont de vrais révolutionnaires. Résultat : plus il redouble de violence, plus il suscite de méfiance et bientôt d'effroi.

Hébert propose-t-il une solution ? Une seule : la guillotine pour tout le monde. Il en vient à dénoncer les comités dont les membres, d'après lui, sont des « endormeurs ».

Brûlant les étapes, il veut maintenant épurer les comités et la Convention en portant au pouvoir ses amis : les *hébertistes*. Le 4 mars 1794, aux Cordeliers, il accuse Robespierre d'être « modérantiste » et lance un appel à l'insurrection.

Il s'est attaqué à trop forte partie. Surtout, il a procuré à l'Incorruptible qui voulait se débarrasser de lui un prétexte inespéré.

Dans la nuit du 13 au 14 mars 1794, sur un rapport de Saint-Just qui dénonce un complot d'Hébert au profit des puissances ennemies, la Convention décide sa mise en accusation. Le lendemain, Hébert est arrêté en même temps que plusieurs de ses partisans.

Leur procès commence le 21 mars. Hébert et dix-sept hébertistes sont condamnés à mort. Ils montent sur l'échafaud le 24 mars.

Alors que la plupart des condamnés de la Terreur sont morts courageusement, Hébert, qui ne cessait depuis des mois de réclamer la guillotine pour les autres, fait montre d'une lâcheté extrême.

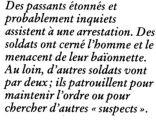

Des passants étonnés et probablement inquiets assistent à une arrestation. Des soldats ont cerné l'homme et le menacent de leur baïonnette. Au loin, d'autres soldats vont par deux ; ils patrouillent pour maintenir l'ordre ou pour chercher d'autres « suspects ».

Toute la nuit, dans sa cellule, il hurle d'épouvante. Dans la charrette qui l'emmène, il est à demi-évanoui. Quand le bourreau élève sa tête sanglante, un immense cri de joie monte de la foule soulagée de sa peur.

Robespierre n'a plus d'ennemis sur sa gauche. Il a éliminé les *Exagérés*, comme beaucoup appelaient les partisans d'Hébert.

Mais déjà il regarde du côté de ceux qui demandent de plus belle que l'on mette fin à la Terreur : Danton et ses amis.

Un couple âgé est obligé de vendre ses derniers biens pour pouvoir s'acheter de quoi manger. C'est au Palais Royal qu'on trouve vendeurs et acheteurs en tous genres ; c'est là que le couple trouve un « acheteur d'argent ». Celui-ci rachète à bas prix le couvert en argent et le bijou, encore dans son écrin, que lui tendent l'homme et la femme.

Pour ou contre la guillotine

Le lendemain même de l'arrestation d'Hébert, Danton bondit à la tribune de la Convention, clame sa reconnaissance au Comité de salut public, crie que la Révolution est enfin sur la bonne voie.

Il a à peine achevé que, d'un bout à l'autre de la Convention, les applaudissements crépitent. Le président quitte son fauteuil pour serrer Danton dans ses bras. Les députés décident que son discours sera imprimé et envoyé à tous les départements. Pour Danton, c'est bien plus qu'un succès : un triomphe.

Quand, rayonnant, il descend les marches de la tribune, on chuchote à droite et à gauche que l'heure de Danton vient de sonner de nouveau. Hébert le sanguinaire est mort. Logiquement la place est libre pour Danton le clément.

Comment ce Danton, vers qui se tendent toutes les mains, se douterait-il qu'il vient de prononcer son dernier discours dans cette enceinte qui a si souvent retenti de son éloquence superbe ?

Robespierre n'éprouve pas le moindre doute : Danton a tort. Si l'on ouvre les prisons, des milliers de complices de l'étranger, remis en liberté, recommenceront à comploter contre la République. Si l'on met fin à la guerre, on permettra aux ennemis de reconstituer leur forces pour fondre de nouveau sur la France et l'anéantir.

Contrairement à Hébert, Robespierre ne croit pas que la guillotine représente la solution de tous les problèmes. À l'Assemblée constituante, il a même proposé, sans être écouté, que l'on abolisse la peine de mort. Mais l'entrée en guerre de la France, contre laquelle il a lutté de toutes ses forces, a tout changé. La guerre, on la lui a imposée. Maintenant il estime qu'il faut la gagner. Les complices de l'étranger, il est sûr qu'il faut les mettre hors d'état de nuire.

La fin des Indulgents

Le drame du face-à-face Danton-Robespierre, c'est que chacun est sûr d'avoir raison. Robespierre ne voit dans les prisons que des coupables, ce qui est faux, et Danton n'y voit que des innocents, ce qui est également faux.

Entre les deux hommes, il existe une autre différence, et elle est de taille. Robespierre, au Comité de salut public, est tout-puissant. Danton, malgré sa popularité reconquise, n'est pas au pouvoir.

Robespierre décide : Danton représente un grave danger pour la France révolutionnaire. Il doit mourir.

Avec Saint-Just, l'Incorruptible prépare les arguments qui permettront, à la Convention, de convaincre les indécis : Danton a été l'ami de Mirabeau et l'on sait maintenant que Mirabeau trahissait la Révolution au profit du roi. Il a défendu Dumouriez qui est passé à l'ennemi. Ministre, il a pris pour collaborateur Fabre d'Eglantine qui a volé l'Etat. Il a voulu sauver les Girondins. Il a poussé le faible Camille Desmoulins à rédiger un journal contre-révolutionnaire.

Une seule de ces accusations pourrait conduire à l'échafaud. Alors, quand il y en a tant...

Ce portrait de Danton, l'un des derniers, a été réalisé la veille de sa condamnation à mort. Il est alors prisonnier, ce qui explique sa tenue : une veste enfilée à la va-vite sur une chemise ouverte. Un décret, voté à la hâte, lui interdit de paraître devant ses juges pour la fin de son procès. Cela signifie qu'il ne peut pas se défendre. Ni son éloquence, ni sa popularité ne peuvent plus le sauver. Il est guillotiné le 6 avril, avec la plupart de ses amis Indulgents, dont Camille Desmoulins.

« Tu montreras ma tête au peuple, elle en vaut la peine »

Le printemps est venu. Danton s'est retiré à Choisy, un village près de Paris, alors en pleine campagne. Il est tout à son amour pour Louise, sa jeune épouse. Il regarde les arbres qui commencent à bourgeonner. Un ami vient le trouver :

— Ton insouciance m'étonne. Tu ne vois pas que Robespierre conspire ta perte ?

La réponse de Daton est un rugissement :

— Si je le croyais, je lui mangerais les entrailles !

Un autre lui dit que Robespierre et Saint-Just sont en train de convaincre les membres des Comités de le faire arrêter. Il faut fuir.

— On n'emporte pas sa patrie à la semelle de ses souliers ! s'écrie Danton.

Robespierre a hésité durant plusieurs jours. Il a voulu épargner Danton. Le soir du 30 mars 1794 il prend sa décision : Danton est devenu trop dangereux. Il faut le sacrifier.

Les Comités de salut public et de sureté générale sont réunis.

— Songez-y bien, proteste Carnot, une tête comme celle de Danton en entraîne beaucoup d'autres.

Mais on lui répond :

— S'il n'est pas guillotiné, nous le serons !

La peur, la terrible peur l'emporte. On vote l'arrestation de Danton, de Desmoulins et de plusieurs Conventionnels.

Ce soir là Danton ne se couche pas. Il passe la nuit dans un fauteuil à regarder les flammes brûler dans la cheminée. Louise, terrorisée, pleure dans ses bras. Il la rassure :

— N'aie pas peur, ils n'oseront pas.

À ce moment précis on entend des bruits de pas dans la cour : ce sont les gendarmes venus l'arrêter. Calmement, docilement Danton se laisse emmener à la prison du Luxembourg.

Danton est confiant. Il a triomphé de tant de périls ! Quand son procès commence, il entame le combat. Il n'a qu'une arme, son éloquence, un atout, sa popularité. Il va en user abondamment. Sa défense est si convaincante, si véhémente que peu à peu les juges se voient transformés en accusés. Le public, d'abord ébahi, finit par applaudir ce discours qui foudroie littéralement les membres des Comités.

Va-t-on acquitter Danton ? Hâtivement Saint-Just fait voter un décret qui met « hors des débats » tout accusé « qui résistera ou insultera à la justice nationale ».

À l'audience suivante, malgré ses hurlements de protestation qui s'entendent d'un bout à l'autre du Palais de justice, Danton est expulsé de la salle du Tribunal. On le condamne en son absence. Il en est de même de Camille Desmoulins et de ses autres « complices ». En montant à l'échafaud, Danton ordonne au bourreau :

— Tu montreras ma tête au peuple, elle en vaut la peine !

« Nous sommes tous frères ! »

Que veulent dire ces tables dressées dans les rues de Paris, ces assiettes, ces verres, ces couverts ? Nous sommes au mois de mai 1794. Il fait beau. Ces gens qui accourent de toute part et s'assoient, riches et pauvres mêlés, ce sont les invités aux « banquets fraternels ».

La Révolution française a particulièrement aimé les fêtes. Dès l'année 1790, on a planté partout, dans les villes et les villages, des *arbres de la liberté*. Chaque fois, c'était l'occasion de grandes réjouissances, de défilés en musique, de danses.

Un jeune arbre vient d'être planté. Les révolutionnaires l'appellent « l'arbre de la Liberté », en souvenir d'une très ancienne coutume du moyen-âge. Cet arbre est décoré du bonnet rouge, fixé à son sommet, de cocardes et de rubans tricolores. Lors des fêtes, la population forme des rondes autour de ces arbres et chante « la Carmagnole » ou « ça ira, ça ira ».

UNE FÊTE POPULAIRE

Les fêtes populaires remplacent les fêtes religieuses qui étaient nombreuses sous la monarchie. Une statue de la Liberté est érigée au centre de l'esplanade; parfois, comme ici, il s'agit d'une fontaine. Un peu partout sont fichées des piques, surmontées du bonnet rouge et portant un écriteau. On peut y lire les devises révolutionnaires : « Liberté, Égalité », « Vaincre ou mourir ». Chacun peut venir participer aux banquets, dressés sous des tentes, pour manger et danser.

Vous n'avez pas oublié l'enthousiasme qui a régné à la Fête de la Fédération. Il semble que l'on saisisse toute occasion nouvelle de se réunir entre patriotes.

On convoque les citoyens et les citoyennes par voie d'affiche ou par l'intermédiaire de crieurs. On raffole de décors qui imitent la Rome antique. On va jusqu'a préciser l'habit qu'il faut porter.

Les banquets des 11, 12, et 13 mai sont destinés à célébrer la *fraternité* entre Français. Pendant quelques heures les riches oublient qu'ils sont riches et les pauvres qu'ils sont pauvres.

Vous vous posez la question : comment peut-on célébrer la fraternité quand la guillotine fonctionne tous les jours sur la place de la Révolution ? Les gens qui sont venus participer aux banquets fraternels sont sincères. Ils sont des fervents de Robespierre. Ils ont applaudi à la mort de Danton après avoir acclamé celle de Hébert. Puisque les Exagérés et les Indulgents ont été anéantis, ils ont cru que la République était définitivement sauvée et qu'on allait pouvoir relâcher l'effrayant effort que la Convention exigeait de tous. Mais Robespierre a rappelé que le danger ennemi restait toujours aussi fort. Les patriotes se sont résignés: la tranquillité, l'apaisement seront pour plus tard. Encore un coup de collier !

Robespierre veut rendre l'homme meilleur

D'un geste familier, Robespierre relève sur son front ses lunettes aux verres fumés. Il frotte ses paupières fatiguées.

Il habite toujours, rue Saint-Honoré, chez le menuisier Duplay. Quand il n'est pas au Comité, à la Convention ou au club des Jacobins, il travaille dans sa petite chambre du premier étage, installé à sa table devant la fenêtre qui donne sur la cour et, au-delà, sur les arbres d'un couvent voisin. Jusqu'à lui montent le bruit de la scie et du rabot maniés par les ouvriers de Duplay.

Là, seul, il conçoit des plans gigantesques. Sous sa plume s'alignent des phrases terribles. Aussi des phrases magnifiques.

C'est là qu'il a écrit : « L'amour de la justice, de l'humanité, de la liberté, est une passion comme une autre ; quand elle est dominante, on lui sacrifie tout. »

Grand disciple du philosophe Jean-Jacques Rousseau, il a cru pouvoir construire une société qui rendrait l'homme meilleur.

Le drame, après la mort de Danton, est que Robespierre s'estime le seul détenteur de la vérité. Les hommes d'Etat qui, au cours des siècles, ont partagé une telle certitude sont malheureusement nombreux. On dit qu'ils se sont crus *infaillibles*. L'histoire nous montre que cela conduit presque toujours à des catastrophes.

Pour gagner, Robespierre a choisi de s'appuyer totalement sur le Comité de salut public. Désormais tous les pouvoirs lui sont dévolus. On supprime les ministres devenus inutiles puisque c'est le Comité qui gouverne. On exclut par ailleurs de la Commune les membres dont on n'est pas sûr. Un seul but : avoir partout des hommes à soi.

En province, les représentants en mission n'ont pas tous été exemplaires. Par exemple, à Nantes, Carrier a fait noyer sans jugement des centaines de prisonniers dans la Loire. A Lyon, Fouché — vous vous en souvenez — a fait tirer au canon sur des détenus. À Bordeaux, Tallien s'est enrichi d'une façon suspecte. À Marseille, à Toulon, Barras et Fréron ont multiplié les exécutions sans personnellement faire preuve d'une honnêteté scrupuleuse. Robespierre tolère mal de tels comportements. Il fait rappeler ces représentants à Paris afin qu'ils rendent des comptes.

Attitude louable, mais lourde de périls : ces hommes, à peine dans la capitale, se sentent en grand danger. Ils se mettent aussitôt à comploter la perte de Robespierre. Ils savent que ce sera lui ou eux !

UNE FÊTE AU COLISÉE

On désignait sous le nom de Colisée un vaste établissement, destiné aux fêtes. Il abritait des salles de bal, un orchestre de 30 musiciens, des cafés, des restaurants, une esplanade découverte pour les feux d'artifice, des parterres de fleurs, des boutiques de bijoux... Quelques couples attablés à un restaurant de plein air discutent en regardant jouer leurs enfants.

Robespierre au sommet

La Fête de l'Etre suprême

Le 8 juin 1794 (20 prairial an II) une foule qui rappelle celle de la Fédération a envahi le Champ-de-Mars : des dizaines de milliers d'hommes, de femmes, d'enfants, ayant revêtu leurs plus beaux habits.

Un temps splendide, une ambiance joyeuse. Partout des fleurs et des guirlandes.

Tout à coup, dans cette foule, un frémissement. Un cortège s'approche. Voici, en tête, une compagnie de canonniers. Puis viennent des jeunes filles uniformément vêtues de blanc, précédant un énorme char tiré par huit bœufs dont on a doré les cornes, et chargé de gerbes de blé et de fruits, sur lequel s'est hissée une jeune femme bien agréable à regarder : elle personnifie l'Abondance, un rêve pour la plupart des Français !

Voici encore des hommes et des femmes le torse barré par de larges rubans tricolores. Ils symbolisent, eux, la Sagesse et la Vertu.

Un orchestre se met à jouer. Un chant s'élève : c'est l'hymne à l'Etre suprême.

Car, ce jour-là, Paris célèbre le créateur de toutes choses, l'*Etre suprême*. Robespierre l'a voulu. Il a fait voter par la Convention une loi par laquelle « le peuple français reconnaît l'existence de l'Etre suprême », autrement dit Dieu.

Il vient d'être élu président de la Convention. Ce qui explique que, depuis qu'il a quitté le palais des Tuileries, il précède de plusieurs pas les autres Conventionnels

Aux Tuileries, il a mis le feu à une statue — en carton — représentant l'Athéisme. Maintenant, sous les acclamations, il s'avance sur le Champ-de-Mars. Les Conventionnels, d'assez mauvaise humeur, suivent.

L'Incorruptible tient à la main un bouquet de fleurs et d'épis de blé. Il se dirige vers une étrange montagne artificielle, surmontée d'un arbre de la liberté. Près d'elle, au sommet d'une colonne, se dresse une statue : celle du génie du peuple français, arborant les marques de la Liberté et de l'Egalité.
Une ovation salue Robespierre cependant qu'il escalade le rocher. Des cris mille fois répétés de « Vive la République ! » éclatent. Les jeunes filles lancent leurs fleurs vers le ciel. Les jeunes gens brandissent leur sabre. La fête s'achève par une assourdissante canonnade.

Du haut de sa montagne, Robespierre considère tout cela qui ressemble au triomphe que les anciens Romains décernaient aux généraux victorieux.

Sur le chemin du retour, il reprend sa place devant les autres Conventionnels. Il est assez près pourtant pour que parviennent jusqu'à lui les murmures hostiles et parfois les plaisanteries. Parmi les représentants, certains restent fidèles à l'athéisme. Ils en veulent à Robespierre d'avoir officiellement glorifié Dieu. D'autres commencent à mal supporter l'autorité qu'il exerce. Ils ne sont pas les seuls. Un sans-culotte s'écrie sur le passage de l'Incorruptible :

— Vois-tu, cet homme, il ne lui suffit pas d'être le maître : il faut qu'il soit Dieu !

Robespierre comprend alors que beaucoup de patriotes commencent à le considérer comme un dictateur. Quand il rentre chez les Duplay, il coupe court à leurs félicitations et, sur un ton de tristesse profonde, dit :

— Vous ne me verrez plus longtemps.

La fête de l'Être suprême, le 8 juin 1793, se déroule au Champ-de-Mars. Non seulement Robespierre a organisé la cérémonie, mais il en est aussi l'acteur principal. Monté sur une petite butte artificielle, il salue les soldats qui l'acclament. Des jeunes filles en robe blanche portent des fleurs, sous les arbres de la Liberté.

La nausée de la guillotine

Ci-dessus : le « fauteuil mécanique » du député Couthon est en fait un fauteuil roulant amélioré. Grâce à un système de manivelles, le mouvement des roues peut s'actionner à partir des accoudoirs. De cette façon, le député paralytique pouvait se mouvoir seul.

Page de droite.
La bataille de Fleurus (26 juin 1794) est une grande victoire pour les Français. Le général Jourdan bat les Autrichiens, ce qui permet à la République de reconquérir la Belgique, et de libérer tout le territoire français de l'occupation ennemie. Pour la première fois, un ballon (on dit aussi un aérostat) est utilisé dans des opérations militaires. Il sert à surveiller les mouvements de troupes de l'ennemi. Au premier plan, des Autrichiens avec leur habit blanc.

La Grande Terreur

Impossible pour le paralytique Couthon de monter à la tribune. Quand il prononce un discours, il doit abandonner sa chaise roulante et deux hommes le hissent jusqu'en haut des marches. Ce jour-là, 22 prairial (10 juin 1794), c'est une loi que Couthon est venu demander à la Convention de voter. Chacun sait qu'il est l'ami de Robespierre, aussi les Conventionnels l'écoutent-ils avec une attention plus vive qu'à l'ordinaire.

Ce qu'ils entendent glace le sang de la plupart, car cette loi est terrible. Il s'agit d'une procédure nouvelle pour punir les « ennemis de la patrie ». Désormais, il suffira au président du Tribunal révolutionnaire de demander à un accusé son nom, de lui poser quelques questions. Interdiction de produire des témoins. L'accusé n'a même pas droit à un avocat.

Un député demande que l'on remette à plus tard le vote d'une telle loi. Robespierre se lève et exige un vote immédiat. Bien plus : il déclare qu'il faut que la Convention vote à l'unanimité.

Si grande est l'autorité de l'Incorruptible sur l'Assemblée que les Conventionnels obéissent. Un grand nombre d'entre eux ne pardonneront pas à Robespierre leur propre lâcheté.

C'est de la loi de prairial que date le début de ce qu'on a appelé la Grande Terreur. Du 6 avril 1793 au 10 juin 1794, le Tribunal révolutionnaire de Paris a prononcé 1251 condamnations à mort. Du 23 prairial au 9 thermidor — en quarante-sept jours seulement ! — il va en prononcer 1376.

Les prisons regorgent. Il y a alors à Paris 7321 détenus.

Le 17 juin, 54 condamnés sont ensemble envoyés à la guillotine. Parmi eux il y a un certain Admiral qui a tenté d'assassiner Collot d'Herbois et une jeune fille, Cécile Renault, qui a voulu pénétrer chez Robespierre, comme Charlotte Corday l'avait fait chez Marat, avec un couteau. Les autres, accusés d'être les complices de ces assassins, ne se sont pour la plupart jamais rencontrés. Tous, parce qu'ils sont censés avoir voulu attenter à la vie d'un représentant du peuple, sont revêtus de la chemise rouge des parricides.

Sur le passage des charrettes, la foule reste silencieuse. Autrefois, les assassins des rois étaient aussi revêtus de la chemise rouge. Quelqu'un dans la foule s'exclame :

— Tout cela pour Robespierre ! Que ferait-on de plus *s'il était roi ?*

Trop de sang versé

Tant que demeurait la pression ennemie aux frontières, le peuple se résignait. Mais, le 26 juin, le général Jourdan, secondé par Saint-Just, remporte une grande victoire à Fleurus. Pour la première fois au cours d'une bataille, on s'est servi d'un ballon pour observer les lignes ennemies. Quelque temps avant, l'armée des Alpes s'est emparée du Mont-Cenis, l'armée des Pyrénées a pris Collioure et Port-Vendres, cependant que Pichegru, en Belgique, est entré dans Ypres. Partout, nos ennemis sont en retraite et nos armes sont victorieuses.

Le moment n'est-il pas venu d'arrêter la Terreur ? Beaucoup le pensent. Ce que les Français ressentent, c'est ce qu'on a appelé la « nausée de la guillotine ». En même temps, le peuple est mécontent. On a fixé un *maximum* des salaires, ce qui signifie que la rémunération des travailleurs ne peut pas dépasser un certain plafond. Or les prix montent rapidement. Le 23 juillet, la Commune publie un nouveau salaire maximum pour les travailleurs de Paris qui, au lieu d'augmenter, diminue de la moitié ! Ces ouvriers étaient jusque-là les plus fermes soutiens de Robespierre. Leur mécontentement est tel qu'ils abandonnent sa cause.

La chute de Robespierre

Au Comité de salut public, le vide se fait peu à peu autour de Robespierre. Presque chaque jour s'élèvent entre les membres de terribles altercations. Toujours sûr d'avoir raison, l'Incorruptible poursuit sa marche.

Le 27 juillet 1794, qu'on appelle aussi la journée du 9 thermidor, marque un tournant capital dans l'histoire de la révolution : c'est l'arrestation de Robespierre et de ses amis. C'est la fin de la Grande Terreur. L'action se déroule dans la salle du conseil de la Commune, mise hors la loi par la Convention. Assis par terre un poignard à la main, Couthon tente de se défendre contre un gendarme le menaçant d'un sabre. Lebas vient de se suicider et gît à terre, une plaie sanglante à la tête. Saint-Just brandit le poing tout en soutenant Robespierre. La gravure nous montre un gendarme faisant feu sur lui ; mais la réalité n'est pas aussi catégorique.

Le complot du 9 thermidor : « A bas le tyran »

Un homme, dans l'ombre, noue les fils de la conspiration qui doit abattre Robespierre : c'est Fouché qui, à Nevers, a célébré l'athéisme et qui, à Lyon, a fait couler tant de sang. Il sait que Robespierre ne lui pardonne pas sa conduite. Il sait, lui qui a tant guillotiné, que la guillotine l'attend. Alors, il engage le combat. Il ne couche plus chez lui, donne des rendez-vous secrets à d'autres représentants rappelés de province, tels que Tallien ou Barras. Il rencontre des membres de la Plaine qui, pour protéger leur propre existence, ont suivi jusque-là docilement Robespierre. Il les persuade que, s'ils n'éliminent pas l'Incorruptible, ils monteront eux-mêmes sur l'échafaud. Il rassemble ce que les historiens ont appelé la *coalition de la peur*.

Le 8 thermidor (26 juillet 1794) Robespierre prononce un nouveau discours à la Convention. Il réclame la punition des traîtres et l'épuration des deux Comités. Il commet une erreur fatale : il ne donne pas les noms de ceux dont il réclame la tête. Du coup, chaque Conventionnel se sent visé. Pour la première fois, l'un d'eux, Cambon, ose lui répondre :

— Il est temps de dire la vérité tout entière : un seul homme paralyse la Convention. C'est Robespierre !

Aussitôt des applaudissements éclatent. Tout le monde a compris : Robespierre n'est plus infaillible.

Le lendemain, 9 thermidor, la Convention se réunit à midi. La salle est comble. Beaucoup d'hommes s'abordent en silence. Un hochement de tête suffit pour que les conjurés se reconnaissent. Pendant la nuit ont eu lieu de nombreux conciliabules. On s'est juré, ce jour-là, de venir à bout de Robespierre.

Au fauteuil de la présidence s'assied Collot d'Herbois, l'un des conjurés.

Saint-Just monte à la tribune pour présenter un rapport. Il ne peut prononcer qu'une phrase. Tallien - autre conjuré - l'interrompt. En courant vers la tribune, il hurle qu'il faut que « le rideau soit entièrement déchiré ».

De partout, des voix lui répondent :

— Il le faut ! Il le faut !

C'est un énorme fracas qui se lève. Et, tout à coup, un cri :

— À bas le tyran !

Tallien brandit un poignard. Il le destine à Robespierre :

— Je lui percerai le sein si la Convention nationale n'a pas le courage de la décréter en accusation !

Robespierre tente en vain de dominer le tumulte. Il demande la parole. Mais les cris couvrent sa voix :

— À bas le tyran ! A bas le tyran !

« Et sa tête roula dans le panier »

En ce jour de juillet, la chaleur est extrême. Tous ces hommes transpirent à grosses gouttes et il semble que, de minute en minute, leur exaspération grandisse.

On entend à peine Robespierre qui hurle :

- Président d'assassins, me donneras-tu la parole ?

Une volée d'imprécations lui répond. La clochette du président s'agite furieusement. Un député crie à Robespierre :

— C'est le sang de Danton qui t'étouffe !

Robespierre se tourne vers lui :

— Lâches, pourquoi ne l'avez-vous pas défendu ?

Il est vaincu. Un député propose son arrestation. L'Assemblée la décrète aussitôt. On arrête aussi Saint-Just, Couthon, Lebas et le jeune frère de Robespierre, Augustin, lui-même député.

Tout est-il fini pour l'Incorruptible ? Non. Le peuple va le délivrer de la prison où on l'a conduit. Lui et ses amis sont emmenés à l'Hôtel de Ville d'où ils vont lancer un appel aux sans-culottes. Une fois de plus, le peuple de Paris va-t-il réduire la Convention au silence ? C'est oublier le mécontentement populaire, la nausée de l'échafaud, la réduction des salaires des ouvriers. A l'appel de Robespierre, seuls se rendent une poignée de Parisiens qui, dans la nuit, seront facilement écrasés par l'armée qu'envoie la Convention, à la tête de laquelle se trouve Barras.

Robespierre veut se donner la mort. Il se rate. Quand, le lendemain, on le porte sur l'échafaud, le bourreau arrache d'un seul coup le pansement sanglant qui soutient sa mâchoire fracassée. L'Incorruptible pousse le cri inarticulé d'une bête qu'on égorge. On le jette sur la bascule. La tête roule dans le panier.

L'exécution de Robespierre a lieu place de la Révolution, le 28 juillet 1794, à huit heures du soir... Sa tête roule dans le panier ; le bourreau la montre au peuple. Les exécutions de Robespierristes durent encore deux jours ; mais avec elles, la Terreur touche à sa fin. Et le « rasoir national » (c'est ainsi qu'était surnommée la guillotine) cessera bientôt de fonctionner.

LE CHEMIN DE BONAPARTE

Montenotte - Millesimo
Mondovi
Lodi - Arcole
Rivoli
Campo Formio

xandrie
le Caire
Aboukir

La Convention thermidorienne

Double page précédente : Les Conventionnels dont vous voyez le portrait page de gauche, s'appellent Jean-Lambert Tallien (en haut) et Paul de Barras. Tous deux ont activement contribué à la chute de Robespierre. Une nouvelle période commence : le Directoire. C'est une époque difficile : la famine règne, les diligences sont attaquées par les brigands (à droite, page de gauche). Alors, on fait la fête. Des Français se livrent à toutes sortes d'excentricités : ils organisent des « bals de guillotinés », où les parents des victimes de l'échafaud portent au cou un petit ruban rouge, comme cette femme, représentée en bas de la page de gauche. Muscadins, Incroyables et Merveilleuses (groupe du centre de la page de gauche) sont des jeunes gens élégants, rivalisant de bizarreries. Leur « reine de beauté », Madame Tallien, surnommée « Notre-Dame de Thermidor », se promène dans une superbe calèche rouge. Ce luxe mécontente les gens du peuple comme ce couple de sans-culotte (bas de la page de gauche). Vêtus d'un costume un peu « nouveau riche », cinq Directeurs gouvernent la France. Parmi eux, Barras (page de droite en bas) va jouer un grand rôle dans l'ascension du jeune général Bonaparte. Trois scènes résument cette ascension vers le pouvoir. C'est, d'abord, la prise du pont d'Arcole, en novembre 1796, au cours de la campagne d'Italie (page de droite, au centre, en haut). C'est, ensuite, la bataille des Pyramides, le 21 juillet 1798, lors de la campagne d'Égypte. C'est, enfin, en août 1799, son retour en France, à bord d'une frégate (en bas à droite). Il va prendre le pouvoir le 10 novembre (19 brumaire). Ce jour-là marque la fin de la Révolution.

Le 10 thermidor, une foule en liesse assiège les abords de la Convention. La joie se lit sur tous les visages. Lorsque paraissent les représentants, ils sont acclamés.

Les Fouché, les Barras, les Tallien se regardent, tout étonnés. S'ils ont envoyé Robespierre à la guillotine, c'est uniquement pour sauver leur vie. Et voilà qu'on les salue comme des sauveurs, comme des libérateurs !

Pour bien comprendre ce qui s'est passé alors, vous devez vous souvenir que ceux qui sont venus à bout de Robespierre étaient eux-mêmes des terroristes. Ils n'avaient nullement l'intention de mettre fin à la Terreur qui était pour eux un moyen de gouvernement qui avait « fait ses preuves ».

La force de l'opinion publique va les y obliger. Là, à la sortie de l'Assemblée, des femmes leur apportent des fleurs, des jeunes gens embrassent leurs habits. Peut-être n'a-t-on jamais vu gens aussi stupéfaits que ces loups qui, à leur corps défendant, vont devoir se muer en moutons.

La Convention reste en place, mais elle va modifier totalement sa politique. Comme ce changement date du 9 thermidor, on va l'appeler désormais la *Convention thermidorienne*. Les vainqueurs de Robespierre seront les *Thermidoriens*.

Elle est bien finie, la Grande Terreur. Les prisons s'ouvrent, on voit réapparaître tous ceux qui se cachaient, suspects ou proscrits. Les députés girondins encore vivants viennent, sous les applaudissements, retrouver leur place à la Convention. Au Comité de salut public, des modérés vont remplacer les anciens amis de Robespierre. On épure le Tribunal révolutionnaire, on ferme le club des Jacobins, deux commissions remplacent la Commune de Paris. On arrête les terroristes les plus compromis. On exécute Carrier, l'homme des noyades de Nantes, et l'accusateur public Fouquier-Tinville. Parce qu'ils ont participé au complot du 9 thermidor, Fouché et Barras ont la vie sauve. Mais Collot d'Herbois et Billaud-Varenne, eux, seront déportés en Guyane. La presse redevient libre et l'on voit paraître des journaux royalistes.

Les églises fermées depuis des mois ouvrent leurs portes. Des prêtres, même réfractaires, y célèbrent la messe. Dans l'Ouest, les Vendéens s'étaient peu à peu regroupés et poursuivaient une guerre de partisans dans le Marais et le Bocage. En Bretagne, les Chouans pillaient les convois de vivres et affamaient les villes. Sous l'impulsion de Carnot et du général Hoche, les Thermidoriens décident de négocier avec eux. On leur offre une amnistie, le droit d'accomplir leur service militaire sur place, l'ouverture des églises aux prêtres réfractaires. Quelle joie dans ces régions qui ont traversé de si cruelles épreuves ! De février à mai 1795, on signe des conventions qui mettent fin à la guerre civile. Pour quelque temps du moins...

Des nouveaux riches et des nouveaux pauvres

Tirée par d'admirables chevaux, une calèche roule à grande allure sur les Champs-Elysées. Elle est entièrement peinte en rouge. Les passants s'arrêtent, reconnaissent l'éclatante beauté de celle qui l'occupe et crient :

— Vive la citoyenne Tallien !

La République nouvelle qui est née à la mort de Robespierre a en effet une reine, la nouvelle épouse de Tallien. Les Parisiens, qui aiment les surnoms, l'appellent aussi « Notre-Dame de Thermidor », parce qu'ils savent que la jeune femme, incarcérée à la prison de la Force sous la Terreur, a encouragé Tallien, fort amoureux d'elle, à précipiter la chute de Robespierre. A Paris, les âmes sensibles se sont émues quand ce couple célèbre s'est uni par le mariage. En peu de semaines, la citoyenne Tallien est devenue l'idole des Parisiens.

On ne parle que de ses toilettes et de ses folies. L'ambition de tout Parisien digne de ce nom est maintenant d'être convié à l'une des réceptions données par le couple Tallien dans la fameuse Chaumière, leur maison de l'allée des Veuves, aujourd'hui avenue Montaigne.

Là, dans un luxe trop neuf se côtoient des anciens révolutionnaires, des spéculateurs, des fournisseurs de guerre qui gagnent en quelques mois d'énormes fortunes en vendant des armes ou des uniformes à l'armée, bref ces nouveaux riches que l'on appelle « parvenus ». Quel luxe ! Que de richesses étalées ! Comme les conversations sont gaies, légères, brillantes ! Un seul sujet n'est jamais abordé : la misère du peuple de Paris.

On a rarement eu aussi froid à Paris que durant l'hiver 1794-1795. Le bois n'arrive pas et cette pénurie-là s'ajoute à toutes les autres. De nouveau, devant les boutiques des bouchers et des boulangers, s'étirent durant les nuits glaciales des queues misérables. Chaque jour on trouve dans les rues ou chez eux des femmes et des enfants morts. Des rentiers, qui ont vendu leurs derniers vêtements, se suicident. Pourquoi cette nouvelle tragédie ?

La belle citoyenne Tallien, d'origine espagnole, s'appelle Théresa Cabarrus. Lorsque Tallien l'épouse en 1794, les Parisiens la surnomment « Notre-Dame de Thermidor » parce que c'est sous son influence que Tallien s'est dressé contre Robespierre. Elle est la femme la plus célèbre du moment. Elle met à la mode les sandales ornées de bijoux, et le costume grec transparent, sous lequel elle est nue ; c'est ainsi que nous la montre la gravure. Elle teignait sa chevelure, suivant son humeur, en blond, roux ou brun.

La fin de la Terreur

Ci-dessus : deux
« incroyables » ou
« muscadins » rivalisent
d'excentricité. La Terreur à
peine passée, la jeunesse
manifeste une folle envie de
s'amuser : costumes démesurés
(vestes trop étroites, revers trop
grands, cols trop hauts),
démarche dandinée, façon de
parler (on ne prononce pas les
« r »).

Des « bals de guillotinés » !

Pour régler ses dépenses, le gouvernement est obligé d'imprimer de plus en plus d'assignats. De ce fait, leur valeur baisse de jour en jour. A la chute de Robespierre, il fallait 75 livres en assignats pour obtenir un louis d'or, il en faudra 4000 en novembre 1795. Nouvelle cause de misère pour ceux qui perçoivent leur salaire en assignats.

Il y a toujours eu des pauvres. Il y a maintenant des nouveaux pauvres. Ils haïssent le nouveau régime. Ils ne sont pas les seuls.

Pour la première fois depuis août 1792, des gens osent avouer qu'ils sont royalistes. Certains jeunes gens se livrent à de véritables provocations. On les voit au Palais-Royal, munis de bâtons torsadés et se mettant à plusieurs pour donner la chasse à tout sans-culotte qu'ils rencontrent. On les appelle des *muscadins* — nom que l'on donne à l'époque à un bonbon sucré – à cause de l'importance qu'ils accordent à leur tenue : culotte comme sous la monarchie, bas de soie, habits démesurément longs et cintrés, avec un col si haut qu'il leur monte jusqu'au-dessus des oreilles.

Ce qui est certain, c'est que les Français veulent oublier. Les restaurants refusent du monde. Les théâtres font fortune. Il y a 644 bals publics à Paris. On danse à l'ancien couvent des Carmes, où l'on a égorgé lors des massacres de Septembre. On danse au séminaire Saint-Sulpice et au couvent des Carmélites. Le comble : les familles des victimes organisent des « bals de guillotinés ». Les hommes y viennent vêtus de noir et les femmes doivent porter autour du cou un petit ruban rouge.

Pour les sans-culottes qui meurent littéralement de faim, c'en est trop.

Ci-contre : les muscadins se
retrouvent souvent au Palais-
Royal ou dans les cafés, pour
discuter de politique. Certains
sont royalistes ; mais tous
haïssent les sans-culottes et la
« vertu » républicaine qu'avait
imposée Robespierre.

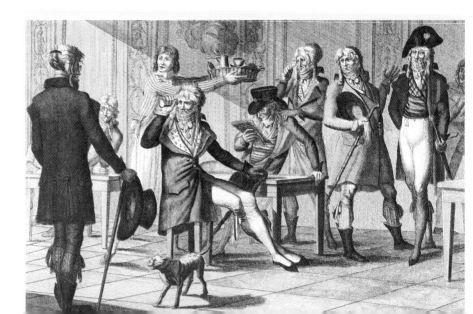

« Du pain ! » demandent les sans-culottes

La foule qui, le 1ᵉʳ avril 1795, marche sur la Convention, est littéralement exaspérée. Devant les portes de la salle des séances, les gardes ne songent même pas à résister tant la détermination des manifestants est grande.

C'est un torrent humain qui envahit la Convention. Un grand cri encore, mille fois répété :

— Du pain ! Et la constitution de 1793 !

Cette constitution a bien été votée par la Convention. Mais elle est si démocratique, si audacieuse pour l'époque, que l'on a décidé d'en remettre l'application à la paix. Elle a été soigneusement rangée dans un coffre en ébène qui repose au pied de la tribune.

Les députés respirent lorsqu'ils voient paraître un grand nombre de gendarmes armés qui, aidés par les muscadins, chassent les manifestants. Ce n'est que reculer pour mieux sauter. On a toujours aussi faim à Paris. Le 20 mai, les sans-culottes envahissent de nouveau l'Assemblée, déterminés cette fois à obtenir satisfaction. Le député Féraud tente de les arrêter. Il est tué sur place. Sa tête, placée au bout d'une pique, est brandie sous le nez du président Boissy d'Anglas.

Une fois encore, on fait intervenir la force armée qui chasse les émeutiers. Pendant plusieurs jours, des émeutes éclatent dans les faubourgs Saint-Antoine et Saint-Marceau. Elles aussi sont réduites par les armes.

La Convention a eu peur, très peur. Estimant que le danger vient de la gauche, elle exclut 62 députés montagnards de l'Assemblée. Six représentants sont condamnés à mort. On rase les bâtiments du club des Jacobins. Signe que l'on veut effacer définitivement un passé que l'on réprouve.

Les Parisiens, armés depuis les premiers temps de la Révolution, doivent rendre leurs sabres ou leurs fusils. La rue appartenait aux patriotes, ils savent qu'ils en sont désormais chassés.

Le chanteur Chénard, habillé en sans-culotte et chaussé de sabots, tient le drapeau français orné de la devise « la Liberté ou la mort ». En fait, c'est la fin des sans-culottes. Accusés de « terrorisme » par la Convention, ils doivent tous rendre leurs armes. À Paris, plus de 1 600 d'entre eux sont visités par les soldats qui leur confisquent fusils et sabres.

Le général Vendémiaire, c'est Bonaparte

La nouvelle constitution qu'adopte alors la Convention montre bien toute la méfiance qu'elle éprouve pour le peuple. Plus de suffrage universel. Quelques milliers seulement d'électeurs éliront et renouvelleront tous les ans deux assemblées : le « Conseil des

La journée du 13 vendémiaire
an IV (5 octobre 1795). Pour
défendre la Convention,
Barras aidé du général
Bonaparte a fait amener des
canons qu'il poste à l'entrée des
rues. La tension monte, entre
les 25 000 insurgés et les
soldats ; à trois heures de
l'après-midi, Barras donne
l'ordre de tirer au canon. Les
manifestants s'enfuient de
toutes parts et certains vont se
réfugier dans l'église Saint-
Roch, comme en témoigne ce
dessin. La Convention est
sauvée, surtout grâce à
Bonaparte, qu'on appelle
aussitôt le « général
Vendémiaire ».

Cinq-Cents » — l'équivalent de notre Assemblée nationale — et le
« Conseil des Anciens » que l'on peut comparer à notre Sénat.
Cinq directeurs dirigeront le gouvernement. Pour cette raison, on
appellera ce nouveau régime le Directoire.

Les Français considèrent avec une indifférence hostile cette
constitution qui prive la plupart d'entre eux du droit de participer
aux affaires publiques. Mais ils s'indignent quand ils apprennent
que les Conventionnels ont décidé que les deux tiers des élus des
futures assemblées seraient choisis parmi les députés sortants !

Ce mécontentement public va encourager les royalistes,
renforcés par les émigrés qui rentrent peu à peu, à tenter un coup
de force. Le 13 vendémiaire (5 octobre 1795), 30 sections
parisiennes sur 48 s'insurgent et marchent sur la Convention. Les
plus dangereuses s'avancent par la rue Saint-Honoré. Barras, qui a
pris le commandement des troupes de l'Assemblée, se souvient
alors d'un jeune général de brigade rencontré au siège de Toulon et
resté inemployé depuis le 9 thermidor : Napoléon Bonaparte. Il le
charge de la résistance. Bonaparte fait installer des canons au bas
des marches de l'église Saint-Roch et fait tirer sur les insurgés qui
se replient aussitôt. Avant la fin de la journée, les sections sont
désarmées.

Ainsi la Convention a-t-elle dû faire face à des attaques
menées contre elle successivement par la gauche et par la droite. La
dernière action va faire sortir de l'anonymat Bonaparte, promu
peu après général de division. Il a vingt-six ans.

Pour l'opinion, il restera longtemps le « général Vendémiaire ».

Sur un champ de bataille, le général Bonaparte, l'épée au côté, réfléchit à la façon dont il doit s'y prendre pour vaincre. Il est appuyé sur des fagots d'osier tressé dont on se sert pour se protéger du feu de l'ennemi. Derrière lui, les soldats armés de pelles sont des terrassiers, chargés de creuser des tranchées ou d'édifier des remblais de protection.

L'œuvre de la Convention

Vous avez vécu avec moi tous les drames qui sont nés sur les bancs de la Convention, toutes les tragédies qui s'y sont jouées. Vous avez assisté aux affrontements qui ont divisé les Conventionnels. Vous avez vu beaucoup d'entre eux partir pour la mort.

Sans doute ces images-là se sont-elles gravées dans votre mémoire. Elles ne doivent pas vous faire oublier l'extraordinaire travail accompli par les Conventionnels. Même pendant les temps de crise extrême, on n'a jamais cessé d'y travailler — et avec quel acharnement !

Aujourd'hui, nos députés et nos sénateurs partent comme vous en vacances. Les Conventionnels ne se sont jamais accordé de repos. Chaque jour les séances se prolongeaient tard dans la nuit. Il arrivait que des représentants, après tant d'heures de discussions passionnées, tombent d'épuisement.

Le Directoire

La Convention a pris des décisions qui influencent encore notre propre destin : par exemple l'application du système métrique, l'organisation de l'état-civil, la réforme de l'héritage — tous les enfants ayant droit maintenant à une part égale. Elle a proclamé l'émancipation des esclaves dans les colonies de la République. Sans cesse, l'enseignement public s'est trouvé à l'ordre du jour. La Convention a décidé la création d'une école primaire par canton et d'une école centrale — l'équivalent de nos lycées — par département. Elle a créé la plupart des grandes écoles et des établissements scientifiques qui existent toujours aujourd'hui : l'Ecole polytechnique, l'Ecole des ponts-et-chaussées, le Conservatoire des arts et métiers, le Bureau des longitudes, l'Ecole des mines, le Muséum d'histoire naturelle, le Conservatoire de musique. Elle a fondé les Archives nationales et le Musée du Louvre. Elle a enfin créé l'Institut de France.

Comment oublierions-nous enfin que la Convention a sauvé la France de l'invasion étrangère ?

Quand la Convention, le 26 octobre 1795, s'est séparée, même les adversaires de la Révolution ont montré de l'émotion. L'un d'eux a dit que chacun avait senti « qu'il s'en allait quelque chose de grand ».

Une époque désespérée : le Directoire

Un Parisien veut partir pour Bordeaux. Il se présente au Bureau des diligences. Il y trouve une inscription : « Part quand on peut ».

C'est vrai : on ne sait jamais à quelle heure part la voiture publique, coche, diligence ou malle-poste.

Notre voyageur a enfin trouvé une place et la diligence s'est ébranlée. C'est alors que commence l'aventure. On roule par des chemins défoncés, dont plusieurs n'ont pas été entretenus depuis cinq ou six ans. Traverser un bois est une entreprise héroïque. Très souvent la diligence s'immobilise. On voit surgir de derrière les arbres des hommes au visage couvert d'un crêpe ou noircis à la suie. Ils brandissent des fusils, fouillent la voiture, retirent des coffres l'argent appartenant à l'Etat, les lettres, les dépêches. On examine les papiers des voyageurs. Si l'un d'eux est fonctionnaire, prêtre jureur, officier, acquéreur de biens nationaux, ou simplement patriote, une balle dans la tête mettra fin à sa carrière.

Ils se disent royalistes, ces brigands, et affirment servir la bonne cause. Maintenant que le petit Louis XVII est mort à la

Comme son nom l'indique, le Directoire est un gouvernement formé de directeurs. Ils sont cinq à se partager la tâche. Voici l'un d'eux, Emmanuel Sieyès, dans son superbe costume d'apparat. Par-dessus la culotte et les bas, il porte une redingote bleu marine rebrodée d'or, ainsi que la grande cape rouge. La panache tricolore au chapeau est toujours de rigueur.

prison du Temple — certains disent qu'on l'a fait évader — ils reconnaissent pour roi le frère de Louis XVI, le comte de Provence, toujours en exil, lequel se fait désormais appeler Louis XVIII. Au début, ils voulaient lutter seulement contre la Révolution. À mesure que les mois et les années ont passé, ils sont devenus de simples bandits de grand chemin.

Au palais du Luxembourg se sont installés les cinq directeurs. L'un d'eux, Barras, offre des fêtes somptueuses, tout en fréquentant ordinairement les trafiquants les plus cyniques, les banquiers les moins recommandables. Tout ce monde s'enrichit au détriment du pays. Plus personne n'a d'autorité. L'administration manifeste à tout instant son impuissance ; elle ne parvient même pas à faire rentrer les impôts. L'instruction publique est devenue quasi inexistante.

Les boutiques ferment leurs portes. Il y avait naguère à Lyon 15 000 ateliers, il n'en reste plus que 2 000. Le port de Marseille est devenu un « cimetière de bateaux ». Faute d'entretien, les canaux s'envasent, les digues s'écroulent. Dans les ministères, les employés attendent pendant six mois leur salaire. On oublie de payer la solde des militaires. En 1797, les assignats ont perdu presque toute valeur.

Il semble aux Français qu'ils ont touché le fond du découragement. Tout à coup un jeune général va leur rendre l'espoir : Bonaparte.

Chaque bataille de Bonaparte est une victoire

Le 25 mars 1796, à Nice, quatre généraux de division attendent. Ils sont de mauvaise humeur et cela se voit. À ces « vieux de la vieille », on vient d'annoncer qu'ils devront désormais obéir à un blanc-bec de vingt-six ans et demi !

Quand Bonaparte entre, ils n'en croient pas leurs yeux. Quoi ! c'est ce petit homme maigre à faire peur, aux cheveux éparpillés sur les épaules et à la figure chétive, qui va les commander ! Ils ne le saluent même pas et gardent leur chapeau à plumes tricolores vissé sur la tête. Il les regarde, leur parle sur un tel ton que soudain ils se sentent plus petits que lui. Il annonce en quelques phrases ardentes comment il va battre les Autrichiens en Italie. Il y a tant

Lorsque Bonaparte part en campagne, il se contente de très peu de confort. Son mobilier personnel se réduit à un lit de fer, une table et un fauteuil, tous trois pliants. Une mallette de bois contient des affaires de toilette. Sachez que Bonaparte, qui avait une capacité de travail extraordinaire, ne dormait que quelques heures par nuit. Cette austérité en temps de guerre ne le quittera pas, même lorsqu'il sera devenu empereur.

Les victoires de Bonaparte

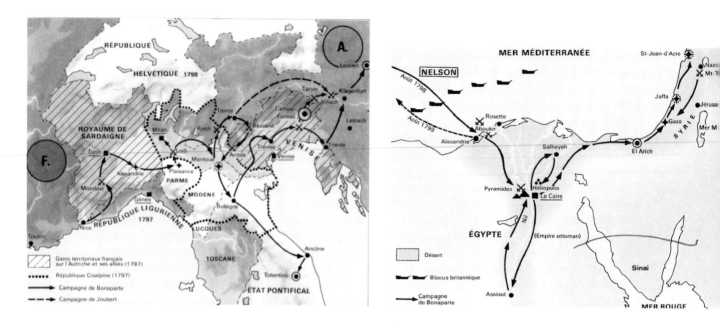

*Voici les plans des campagnes de Bonaparte pendant le Directoire. À gauche, la campagne d'Italie menée de 1796 à 1797 permet à la France d'annexer Nice et la Savoie et d'occuper le nord de l'Italie. L'Italie n'est pas encore un pays unifié, mais une multitude de petits états et royaumes ; ceci explique les différentes couleurs employées pour les représenter.
À droite, la campagne d'Égypte, menée de 1798 à 1799. Les Français battent assez facilement en Égyptiens, mais les Anglais, sous les ordres de l'amiral Nelson sont devenus maîtres de la Méditerranée.*

d'autorité chez cet homme que, l'un après l'autre, Masséna, Sérurier, Lamarque et Augereau, médusés, se découvrent.

L'épopée commence. Bonaparte prend le commandement de 36 000 loqueteux affamés et, à l'image des Français, ayant perdu toute illusion. Il les harangue :

— Soldats, vous êtes nus, mal nourris ; le gouvernement vous doit beaucoup, il ne peut rien vous donner... Vous n'avez ni souliers, ni habits, ni chemises, presque pas de pain, et nos magasins sont vides, ceux de l'ennemi regorgent de tout, c'est à vous de les conquérir. Vous le voulez, vous le pouvez, partons !

Galvanisés, ils l'acclament.

Si Bonaparte a reçu le commandement de l'armée d'Italie, c'est que la France est toujours en guerre avec l'Angleterre et l'Autriche. Carnot — devenu l'un des cinq directeurs — a décidé d'en finir avec les Autrichiens. Son plan : diriger trois armées sur Vienne. Les deux premières fonceront à travers l'Allemagne. La troisième attaquera par l'Italie.

Pour l'armée de Bonaparte, chaque bataille est une victoire : Montenotte, Millesimo, Mondovi. Les Autrichiens sont chassés de Lombardie (mai 1796). Après l'entrée des Français à Milan, les victoires d'Arcole (novembre) et de Rivoli mettent à genoux l'empereur d'Autriche.

Il s'incline, cède à la France la Belgique et le Milanais. Bonaparte crée en Lombardie une « République Cisalpine ».

Pour le Directoire, quelle chance inattendue !

« La loi, c'est le sabre »

En vérité, l'impopularité des cinq directeurs n'a jamais été aussi grande. L'opinion publique les accable de son mépris. On les appelle les « cinq mulets empanachés ». Ou encore les « Princes du sang », allusion au sang de Louis XVI.

Quand les élections du printemps de 1797 amènent aux Conseils une majorité de droite, beaucoup de gens croient le moment venu de ressusciter la monarchie. Ce qui montre que nombre de Français sont prêts à une telle éventualité, c'est que le général Pichegru — un ex-révolutionnaire — traite secrètement avec la famille royale exilée.

Pour sauver la République, trois des directeurs ne vont pas hésiter, avec l'aide du général Augereau, à organiser un coup d'Etat. L'armée cerne les Tuileries, arrête les députés, s'empare du directeur Barthélemy, cependant que Carnot parvient à s'enfuir.

On va ainsi évincer des Conseils 140 députés de droite et remplacer deux directeurs par des hommes sûrs. La République triomphe mais la loi a été bafouée. À un député qui protestait, Augereau a répondu simplement :

- La loi, c'est le sabre !

Dès lors le Directoire agonise. Les élections de 1798 amènent cette fois aux Conseils trop de députés de gauche au gré des directeurs. Ceux-ci écartent par une loi des élus qui leur déplaisent et leur substituent près de 200 candidats qui ont leur préférence !

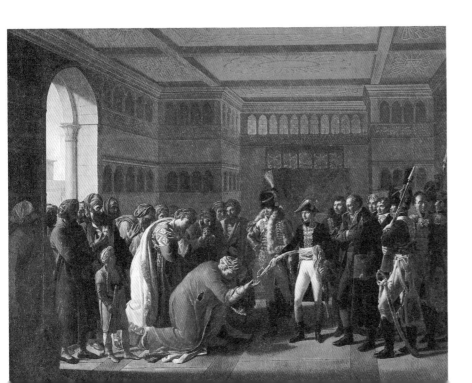

Napoléon est au Caire, en pleine campagne d'Égypte. Il est obligé d'entretenir de bonnes relations avec les dirigeants égyptiens. C'est pourquoi vous le voyez faire cadeau d'un sabre à un chef militaire égyptien venu lui rendre visite.

165

Le coup d'état de Napoléon Bonaparte

L'écœurement des Français grandit. Ils rêvent au jour où seront nettoyées les « écuries de Barras », évoquant l'histoire d'un roi légendaire de l'Antiquité, Augias, dont les écuries, contenant 3 000 bœufs, n'avaient pas été nettoyées depuis longtemps. Hercule réussit cette tâche impossible en détournant un fleuve qui inonda les écuries d'Augias.

La grande question des Français est alors : qui sera le nouvel Hercule ? Même les plus ardents partisans de la République souhaitent un « sauveur » qui viendra la purifier.

Le directeur cherche un sabre

Pour Bonaparte, l'essentiel est d'écraser l'Angleterre. Puisqu'il est impossible d'aller la vaincre dans son île, pourquoi ne pas tenter de la ruiner ? Le commerce avec les Indes est alors vital pour les Anglais. Frappons donc l'ennemi en Egypte, étape essentielle de la route des Indes.

La bataille des Pyramides (21 juillet 1798) est une victoire décisive pour les Français. Les troupes de Bonaparte ont semé la panique dans les rangs des Mamelouks. (Les Mamelouks sont des soldats Turcs et Égyptiens devenus maîtres de l'Égypte). Ces derniers refluent précipitamment vers le rivage pour tenter de s'embarquer, ou bien sautent directement à l'eau pour échapper au Français.

Ayant convaicu le Directoire, Bonaparte forme une armée, réunit une flotte, mobilise des savants et s'embarque à Toulon (19 mai 1798).

Une fois de plus, la victoire l'accompagne. Il met les Mamelouks en déroute à la bataille des Pyramides après s'être adressé à ses propres troupes :

— Soldats, du haut des Pyramides, quarante siècles vous contemplent !

Il installe une administration française au Caire, encourage ses savants à étudier l'histoire et les monuments de l'ancienne Egypte, s'avance vers la Syrie à la rencontre des Turcs, met le siège devant Saint-Jean-d'Acre. Son armée est malheureusement ravagée par la peste et il doit regagner Le Caire. Là, des journaux — les premiers arrivés en Egypte depuis longtemps — lui apprennent que la France court vers une catastrophe : une nouvelle coalition s'est levée contre la République; la Russie s'est alliée à l'Autriche, à l'Angleterre et à la Turquie. La guerre a recommencé, la France a déjà perdu l'Italie, une armée anglo-russe s'apprête à débarquer en Hollande, devenue notre alliée.

Sous ces échecs répétés, le Directoire vacille et se protège — le 18 juin 1799 — par un nouveau coup de force !

Pour l'un des nouveaux directeurs, Sieyès, le temps n'est plus à l'hésitation : il faut consolider la République par une nouvelle constitution. Pour cela, il faut un sabre. Celui d'un général, bien sûr.

A quelques milliers de kilomètres de là, Bonaparte vient de parvenir à la même conclusion.

Persuadé que la France l'attend, Bonaparte a quitté l'Egypte. Débarqué en Provence, il prend le chemin de Paris.

Le coup d'Etat du 19 brumaire (10 novembre 1799)

Un bateau mouille, le 9 octobre 1799, devant Saint-Raphaël. Il arrive d'Egypte et il porte à son bord le général Bonaparte. Si celui-ci est revenu, c'est pour saisir le pouvoir. Avant son départ d'Egypte il ne l'a pas caché :

- J'arriverai à Paris, je chasserai ce tas d'avocats qui se moquent de nous et qui sont incapables de gouverner la République ! Je me mettrai à la tête du gouvernement, je rallierai tous les partis !

C'est très exactement ce qui va se passer.

Le dernier jour de la Révolution

Devant le conseil des Cinq-Cents hostile, Bonaparte s'énerve et perd ses moyens, car en le voyant, les députés ont crié « À bas le tyran ! » Le croyant menacé, quatre grenadiers arrivent à la rescousse et l'entraînent vers la sortie. En réalité, jamais les députés ne l'ont menacé de leurs poignards, comme voudrait le faire croire cette gravure. Le coup d'État réussit enfin une heure plus tard, grâce à l'intervention des soldats, très attachés à Bonaparte.

Le 18 brumaire an VIII (9 novembre 1799), le Conseil des Anciens — qui ne se doute pas qu'il est manœuvré par des conjurés partisans de Bonaparte — décide que, le lendemain, il se réunira au château de Saint-Cloud ainsi que le Conseil des Cinq-Cents.

La voie est ouverte au coup d'État.

Les amis de Bonaparte - parmi lesquels Sieyès et Fouché — ont tout préparé. On est sûr que l'autorité et la gloire du vainqueur de Rivoli convaincront les Conseils de désigner légalement un nouveau gouvernement, confié à Bonaparte et Sieyès, principal organisateur de l'affaire.

Sieyès a commis une grave erreur : il a oublié que Bonaparte n'avait pas la moindre expérience des assemblées parlementaires. Le lendemain (19 brumaire), à Saint-Cloud, devant les Anciens, il parle. Mais ses propos sont incohérents, il bafouille, ne propose rien, ne suggère rien. Un terrible silence accueille son discours. Aux Cinq-Cents, c'est bien pis. Dès qu'il entre, on hurle :

— À bas le tyran !

Des députés l'entourent, le bousculent. On l'emporte presque évanoui.

Au diable la légalité ! Dans un bruit formidable, au son du tambour qui bat la charge, les grenadiers harangués par Lucien

Bonaparte, frère de Napoléon et président des Cinq-Cents, suivent le général Murat qui lance un éclatant :

– En avant !

La troupe envahit la salle des séances. Murat hurle :

– Foutez-moi ces gens-là dehors !

Les députés sautent par les fenêtres, s'enfuient dans le parc et les rues de Saint-Cloud. Le soir, quelques députés hâtivement rassemblés— une trentaine — voteront la constitution d'un *Consulat provisoire*, confié à Bonaparte, Sieyès et Roger Ducos.

Dix années d'une histoire sans égale s'achèvent ce jour-là. En 1789, la France choisissait la démocratie et se donnait les Droits de l'homme.

En 1799, Napoléon succède à la Révolution.

Voici Napoléon Bonaparte posant pour le peintre Couder, en costume de Consul. La redingote rouge rebrodée d'or est ouverte sur une culotte moulante blanche et ceinturée par une écharpe tricolore. Le col montant de la redingote rappelle celui des muscadins de 1796. Volontairement, Bonaparte ne se poudre ni ne se coiffe les cheveux, ce qui accentue son allure juvénile ; il a trente ans.

APRÈS DEUX SIÈCLES

Ces dix années de l'histoire de la France, nous venons de les revivre ensemble. Vous avez assisté à la convocation des états-généraux, à la prise de la Bastille, à la nuit du 4 Août, à la proclamation des Droits de l'homme, à cette Fête de la Fédération qui vit s'aimer tous les Français.

Vous avez vu Louis XVI perdre son trône et monter à l'échafaud. Vous étiez là quand la Convention a fait face à l'Europe, quand les volontaires de 1792 sont partis pour sauver la patrie en danger.

Vous avez vu la Révolution se mettre à dévorer ses fils : les Girondins d'abord, les Hébertistes ensuite, Danton et ses amis enfin.

Le grand incendie de Vendée s'est allumé sous vos yeux, cependant que s'accélérait la Terreur. Vous vous êtes posé alors, je le devine, un grand nombre de questions. Jusqu'au moment où Robespierre, muré dans sa solitude, a été lui aussi emporté.

Beaucoup de sang a coulé et vous avez raison de ne pas aimer le sang.

Pouvait-on éviter cette effusion tragique ? Sans hésiter, je réponds oui. Il suffisait, en 1792, de ne pas déclarer la guerre.

Songez-y : à cette époque, la plupart des grandes réformes que souhaitaient les Français en 1789 étaient accomplies. La guerre est à l'origine des massacres de Septembre, de l'insurrection de l'Ouest, de la Terreur.

Comme il faut regretter que l'on ait alors écouté les Girondins et refusé d'entendre la voix de Robespierre, presque seul à refuser la guerre !

Les tragédies, les injustices, les violations des Droits de l'homme ne doivent pas être passées sous silence, ni oubliées.

Mais il faut que vous et moi nous rappelions toujours ceci : la Révolution française a, pour la première fois dans l'histoire du monde, proposé aux hommes ce qui est l'une des conditions essentielles du bonheur, la liberté. Elle y a ajouté un don non moins précieux : l'égalité.

Avec le suffrage universel, elle a consacré le droit de tous les citoyens à choisir le gouvernement de la France. En instituant la pratique du jury, composé de citoyens tirés au sort, elle a donné aux Français de meilleures garanties d'être bien jugés. Elle a aboli l'esclavage, institué l'instruction publique qui permet aujourd'hui à tous les enfants de recevoir le même enseignement.

Des images chanteront éternellement dans notre mémoire et notre cœur : Mirabeau proclamant que la volonté du peuple l'emporte sur la force des baïonnettes. Les volontaires hurlant « Vive la Nation » sous le moulin de Valmy. Le grand cri saluant à la Convention la naissance de la République. Les Français des villes et des campagnes dansant autour des arbres de la liberté.

N'oubliez jamais que, depuis deux siècles, tous les peuples qui se sont battus pour leur liberté l'on fait en chantant *la Marseillaise*.

Aujourd'hui encore, les Droits de l'homme restent, pour un trop grand nombre d'hommes et de femmes dans le monde, un but presque impossible à atteindre. La Révolution nous les a donnés dès 1789.

Telle doit être, au long des années qui vous attendent, votre mission : veillez sur ces droits sacrés, empêchez quiconque de les violer.

Nos ancêtres de la Révolution étaient si attachés à la liberté qu'ils s'étaient choisi comme devise : *la liberté ou la mort.*

Je vous propose de choisir celle-ci : *la liberté et la vie.*

Cet « hommage à la Liberté », est tout à fait symbolique de la révolution. Des hommes et des femmes de toute époque (un chevalier s'agenouille à droite tandis qu'un gentilhomme de la Renaissance fait de même à gauche) rendent hommage, avec des guirlandes de fleurs, à la statue de la Liberté. Le bonnet rouge des sans-culottes surmonte sa pique ; sur le socle, une balance peinte représente la justice. Au pied de la statue, un coffret en bois rappelle celui où fut déposé la constitution de 1793.

Chronologie
1789/1799

Louis XVI, né en 1754, règne depuis 1774 quand il décide de convoquer pour le 22 février 1787 une assemblée de « notables ». Il s'agit de lui faire accepter des réformes capitales, en particulier *l'égalité de tous devant l'impôt,* c'est-à-dire la suppression des privilèges fiscaux de la noblesse et du clergé. Les « notables » repoussèrent ces réformes. Le roi tentera de les réaliser par des lois ordinaires. Le Parlement de Paris les refusera. Ce printemps 1787 — échec de la volonté réformiste du roi et premières atteintes graves à son autorité — est le vrai début de la Révolution française. Mais le point de départ « officiel », si l'on peut dire, est l'ouverture, le 5 mai 1789, des États Généraux tandis qu'un peu partout éclatent des émeutes provoquées par la hausse du prix du blé, donc du pain.

1789

Les états généraux

5 mai : Versailles : ouverture des états généraux du Royaume convoqués le 8 août 1788 ; élections de mars à mai et rédaction de « cahiers de doléances ».

17 juin : les députés du tiers état se proclament ASSEMBLÉE NATIONALE.

20 juin : Serment du Jeu de Paume prêté par les députés du tiers état et quelques députés du Clergé.

23 juin : Louis XVI consent l'égalité devant l'impôt et la liberté de la presse, mais ordonne aux ordres de se séparer. Le tiers état refuse.

27 juin : Louis XVI ordonne aux députés du clergé et de la noblesse de se joindre à ceux du tiers état. Les états généraux deviennent ASSEMBLÉE NATIONALE [CONSTITUANTE le 9 juillet]. Fin de la monarchie absolue.

L'Assemblée constituante (juillet 1789- septembre 1791)

11 juillet : Louis XVI renvoie NECKER [vive émotion à Paris et troubles dès le 12 juillet].

13 juillet : Paris : formation d'un « comité permanent » (municipalité) et d'une « milice bourgeoise » (future Garde nationale comandée par LA FAYETTE).

14 juillet : Paris : *Prise de la Bastille.*

17 juillet : Visite de Louis XVI à Paris. Il accepte la cocarde tricolore que lui tend Bailly. Première émigration de nobles.

20 juillet : Début de la « grande peur » dans le royaume.

28 juillet : 1ᵉʳ numéro du « Patriote français », journal de BRISSOT.

4 août : Versailles : nuit du 4 au 5 août, l'ASSEMBLÉE vote l'abolition du régime féodal et de certains droits seigneuriaux. Le calme revient peu à peu. Dans les jours suivants, l'Assemblée décrète *l'égalité devant l'impôt* que le roi avait déjà approuvé.

26 août : Versailles : l'ASSEMBLÉE adopte la DÉCLARATION DES DROITS DE L'HOMME ET DU CITOYEN.

29 août : 1ᵉʳ numéro du « Journal des débats et décrets ».

16 septembre : 1ᵉʳ numéro de « l'Ami du Peuple » de MARAT.

5/6 octobre : des milliers de manifestants parisiens — dont une majorité de femmes — marchent sur Versailles et *obligent la famille royale à revenir à Paris* (Tuileries).

19 octobre : l'Assemblée nationale s'installe à Paris. Formation du « club breton », futur « club des Jacobins ».

2 novembre : l'Assemblée nationale décrète la *mise à la disposition de la Nation des biens du clergé* [19 décembre : elle décide que ces « biens nationaux » garantiront les assignats].

9 décembre : décret de l'Assemblée : la *France sera divisée en départements* [83, le 26 février 1790].

1790

28 janvier : l'ASSEMBLÉE accorde la citoyenneté française aux Juifs du Midi [et aux autres le 27 septembre 1791].

27 avril : Paris : formation du club des Cordeliers.

21 mai : Paris est divisé en 48 sections.

12 juillet : l'ASSEMBLÉE vote la *Constitution civile du clergé* [condamnée par le pape Pie VI le 10 mars 1791].

14 juillet : Fête de la Fédération.

5 août : Nancy : mutinerie de deux régiments suisses [réprimée à la fin du mois].

18 août : Formation à Jalès (Ardèche) d'un camp d'adversaires de la Révolution.

21 septembre : l'ASSEMBLÉE décrète que le DRAPEAU TRICOLORE SERA LE DRAPEAU NATIONAL.

27 novembre : l'ASSEMBLÉE décrète que les prêtres doivent prêter serment à la Constitution civile [ceux qui refusent seront les prêtres « réfractaires »].

1791

21 avril : mort de MIRABEAU.

26 mai : l'ASSEMBLÉE décide la création d'un musée du Louvre (ouvert en juillet 1793).

14 juin : l'ASSEMBLÉE vote la loi LE CHAPELIER supprimant les corporations, et interdisant associations ouvrières et grèves.

20 juin : *Fuite de la famille royale,* arrêtée à VARENNES le 21 juin [retour à Paris le 25 juin].

16 juillet : Paris : création du club des Feuillants.

17 juillet : Paris : fusillade du Champ de Mars.

27 août : déclaration de PILLNITZ (Saxe) : le roi de Prusse (Frédéric Guillaume II) et l'empereur (Léopold II) frère de Marie-Antoinette soutiennent le roi de France.

3 septembre : CONSTITUTION votée par l'ASSEMBLÉE [acceptée par le Roi le 13 septembre].

30 septembre : l'ASSEMBLÉE NATIONALE CONSTITUANTE se sépare.

L'assemblée législative (octobre 1791- septembre 1792)

1er octobre : Réunion de l'ASSEMBLÉE LÉGISLATIVE.

9, 29 novembre : Décrets de l'ASSEMBLÉE contre les émigrés et contre les prêtres réfractaires. Formation d'un ministère « feuillant ».

1792

15 mars : les « Girondins » au pouvoir.

22 mars : CHAPPE présente le télégraphe optique à l'ASSEMBLÉE [1re ligne PARIS-LILLE en juillet 1794].

20 avril : LA FRANCE DÉCLARE LA GUERRE À L'AUTRICHE ET À LA PRUSSE.

25 avril : Strasbourg : ROUGET DE LISLE chante « le Chant de guerre de l'Armée du Rhin » (future « Marseillaise »). Paris : 1re utilisation de la GUILLOTINE.

29 avril : défaites de l'armée française dans le Nord.

27 mai : l'ASSEMBLÉE décrète la DÉPORTATION DES PRÊTRES RÉFRACTAIRES.

8 juin : l'ASSEMBLÉE décrète l'instauration d'un camp de 20 000 « Fédérés » (Gardes Nationaux) à Paris.

11 juin : veto royal contre les décrets précédents.

13 juin : renvoi du ministère girondin.

20 juin : *le peuple parisien envahit les Tuileries.*

11 juillet : l'ASSEMBLÉE proclame « LA PATRIE EN DANGER ».

25 juillet : Manifeste du duc de Brunswick menaçant les révolutionnaires.

3 août : PÉTION, maire de Paris, et 47 sections demandent la déchéance du Roi.

10 août : Paris : création de la « Commune insurrectionnelle »; insurrection, prise des Tuileries, *arrestation de la famille royale* [emprisonnée le 13 août dans la tour du Temple] : l'ASSEMBLÉE décide l'élection d'une CONVENTION.

19 août : La FAYETTE se rend aux Autrichiens après avoir tenté de marcher sur Paris avec son armée. Autrichiens, Prussiens, émigrés (rassemblés dans ce qu'on appelle « l'armée du prince ») franchissent la frontière du royaume.

22 août : émeutes royalistes (Vendée, Bretagne, Dauphiné).

2 septembre : VERDUN pris par les Prussiens. Paris : début dans les prisons des « MASSACRES DE SEPTEMBRE » (terminés le 6). Plus de 1 000 morts en quatre jours.

20 septembre : VALMY : victoire française (Kellermann, Dumouriez) sur les Prussiens de Brunswick.
Paris : l'ASSEMBLÉE crée l'état civil tenu par les municipalités. Institution du divorce. Fin de l'Assemblée législative.

21 septembre : Première séance publique de la CONVENTION qui ABOLIT LA MONARCHIE.

La Convention (septembre 1792- octobre 1795)

22 septembre : AN I de la RÉPUBLIQUE FRANÇAISE.

24-29 septembre : les soldats Français entrent à Chambéry et à Nice.

6 novembre : JEMMAPES (Belgique) : victoire française (Dumouriez) sur les Autrichiens. Conquête de la Belgique.

27 novembre : annexion de la Savoie par la France.

11 décembre : début du PROCÈS DE LOUIS XVI.

1793

21 janvier : EXÉCUTION DE LOUIS XVI [condamné le 17 janvier, sursis rejeté le 20].

1er février : la CONVENTION déclare la guerre à l'Angleterre et à la Hollande [et à l'Espagne, le 7 mars]. La France a contre elle la *première coalition* : Autriche, Prusse, Angleterre, Hollande, Espagne, États d'Allemagne et d'Italie.

24 février : la CONVENTION décrète la *levée en masse* de 300 000 hommes et l'organisation de l'amalgame dans l'armée.

10 mars : création du TRIBUNAL CRIMINEL EXTRAORDINAIRE [qui deviendra *Tribunal révolutionnaire* le 29 octobre 1793].

11 mars : début du SOULÈVEMENT VENDÉEN.

18 mars : l'armée française de DUMOURIEZ est battue par les Autrichiens à Neerwinden (Belgique).

21 mars : création des COMITÉS DE-SURVEILLANCE RÉVOLUTIONNAIRE.

5 avril : DUMOURIEZ passe chez les Autrichiens.

6 avril : création du COMITÉ DE SALUT PUBLIC.

4 mai : la CONVENTION décrète le « maximum du prix des grains » (taxation des prix).

29 mai : Lyon : révolte contre la CONVENTION [le 9 octobre 1793 Lyon est reprise par les forces républicaines, devenant « Ville Affranchie »]. Des centaines d'habitants sont massacrés.

2 juin : Paris : *chute des Girondins.*

6 juin : début de la *révolte fédéraliste* [Marseille, Bordeaux, Caen, etc.].

9 juin : prise de Saumur par les Vendéens.

10 juin : Paris : fondation du Museum d'Histoire Naturelle.

24 juin : la CONVENTION vote la Constitution de l'AN I [ne sera pas appliquée].

13 juillet : *assassinat de MARAT* par Charlotte Corday.

17 juillet : Lyon : CHALIER, chef des Jacobins, jugé et guillotiné.

27 juillet : ROBESPIERRE au Comité de salut public.

1er août : la Convention adopte le SYSTÈME MÉTRIQUE. Capitulation de Valenciennne.

23 août : la Convention décrète la *levée en masse* de tous les Français. C'est le début du service militaire obligatoire.

25 août : reprise de Marseille révoltée, par l'armée républicaine.

27 août : Toulon livré aux Anglais.

5 septembre : Paris : manifestation des sans culottes à la Convention pour que la *« Terreur soit à l'ordre du jour ».* Différentes mesures seront prises [9 septembre : armée révolutionnaire; 17 septembre : loi des suspects; 29 septembre : « maximum général » aboutissant à un blocage des prix et des salaires].

22 septembre : AN II.

5 octobre : adoption du CALENDRIER RÉVOLUTIONNAIRE [supprimé en 1806].

10 octobre : [19 vendémiaire] : la Convention décrète que « le gouvernement est révolutionnaire jusqu'à la paix » (gouvernement organisé le 4 décembre 1793).

16 octobre : [25 vendémiaire] : Paris : exécution de la reine Marie Antoinette. Wattignies (Nord) : victoire de l'armée française (Jourdan, Carnot) sur les Autrichiens.

173

31 octobre : [10 brumaire]: exécution de 21 députés girondins; adoption du tutoiement par la Convention.

6 novembre : Philippe-Égalité condamné à mort et guillotiné.

10 novembre : [20 brumaire]: à Notre Dame de Paris, Fête de la Liberté et de la Raison.

12 décembre : [22 frimaire]: défaite des Vendéens au Mans.

18 décembre : [29 frimaire]: reprise de Toulon (par BONAPARTE) qui devient Port de Montagne.

23 décembre : *les Vendéens sont écrasés à Savenay.*

26 décembre : [6 nivôse]: victoire des Français (Hoche) au Geisberg (Alsace).

1794

17 janvier : [28 nivôse]: début du ravage de la Vendée par les « Colonnes infernales » du général Turreau. En quatre mois, elles tueront des dizaines de millier d'hommes, de femmes et d'enfants.

29 janvier : [10 pluviôse]: mort du chef vendéen La Rochejaquelein.

4 février : [16 pluviôse]: la Convention supprime l'esclavage aux colonies.

13 mars : [23 ventôse]: arrestation d'Hébert et de ses partisans (jugés, guillotinés le 24 mars).

28 mars : [8 germinal]: suicide de Condorcet en prison.

30 mars : [10 germinal]: *arrestation de Danton*, Desmoulins et des « Dantonistes » (guillotinés le 5 avril).

2 avril : [13 germinal]: création de la 1re compagnie d'aérostiers militaires, la première unité aérienne de l'Histoire.

30 avril : [11 floréal]: les Autrichiens prennent Landrecies (Nord).

8 mai : [19 floréal]: exécution de 27 fermiers généraux dont le chimiste LAVOISIER.

1er juin : [13 prairial]: victoire navale des Anglais sur les Français à Ouessant.

4 juin : [16 prairial]: *Robespierre élu président de la Convention.*

8 juin : [20 prairial]: Paris : Fête de l'Être Suprême.

10 juin : [22 prairial]: la Convention vote la « Loi de prairial » rendant le Tribunal Révolutionnaire encore plus expéditif, ce qui accentue la « GRANDE TERREUR ». Entrée à Bruxelles.

26 juin : [8 messidor]: victoire française (Jourdan) à FLEURUS (Belgique) sur les Autrichiens.

25 juillet : [7 thermidor]: le poète André Chenier est guillotiné.

27 juillet : [9 thermidor]: la Convention décrète l'*arrestation de Robespierre* et de ses principaux compagnons [guillotinés le 28 juillet. D'autres « Robespierristes » le seront jusqu'au 30 juillet]. Après le 9 thermidor s'ouvre la période de la « *Convention thermidorienne* ».

Convention thermidorienne (juillet 1794-octobre 1795)

1er août : [14 thermidor]: *Abolition de la loi du 22 prairial* (dès le 3 août, libération de nombreux « suspects »); arrestation de FOUQUIER-TINVILLE (exécuté avec d'autres membres du Tribunal Révolutionnaire le 5 mai 1795).

29 août : [12 fructidor]: Paris : 1re manifestation contre-révolutionnaire de « muscadins » et « incroyables ».

10 octobre : [19 vendémiaire au III]: Paris : ouverture de la première École Normale et du Conservatoire des Arts et Métiers (le 22 octobre, ouverture de l'*École Centrale des Travaux Publics, future École Polytechnique*).

12 novembre : [22 brumaire]: la Convention ferme le club des Jacobins de Paris.

17 novembre : [27 brumaire]: sur rapport de Lakanal, la Convention réorganise l'enseignement primaire.

8 décembre : [18 frimaire]: la Convention réintègre les députés girondins exclus en 1793.

24 décembre : [4 nivôse]: la Convention abolit la « loi du Maximum ».

1795

23 janvier : [4 pluviôse]: la cavalerie française s'empare de la flotte hollandaise bloquée par les glaces au Texel.

3 février : [15 pluviôse]: Pays-Bas : formation de la République Batave, première « république sœur » de la France.

14 février : [26 pluviôse]: début de la Terreur Blanche contre les Jacobins (Lyon, Vallée du Rhone); elle dure jusqu'en juin.

15 février : [27 pluviôse]: *accords de La Jaunaye* : paix entre Vendéens et Républicains. Elle sera rompue en juin.

21 février : [3 ventôse]: la Convention proclame la *liberté des cultes* et la séparation de l'Église et de L'État.

24 février : [6 ventôse]: sur rapport de Lakanal, création des « écoles centrales » dans chaque département, bases de l'enseignement secondaire (et en partie, supérieur).

1er avril : [12 germinal]: Paris : insurrection des sans-culottes qui envahissent la Convention et sont dispersés par la Garde nationale.

5 avril : [16 germinal]: Bâle : TRAITÉ DE PAIX ENTRE LA PRUSSE ET LA FRANCE qui obtient la rive gauche du Rhin (22 juillet : traité de paix entre l'Espagne et la France).

20 avril : [1er prairial]: accords entre Chouans et envoyés de la Convention. La trêve sera rompue un mois après.

20 mai : [1er prairial]: Paris : nouvelle (et dernière) insurrection des sans-culottes qui dure 3 jours et est réprimée par les soldats du général Ménou.

8 juin : [20 prairial]: Paris : *mort à la prison du Temple du Dauphin Louis XVII*: son oncle, le comte de Provence à Verone (Italie) se proclame roi de France (Louis XVIII).

21 juillet : [3 thermidor]: Victoire de l'armée républicaine (Hoche) sur les Anglais et les émigrés débarqués à Quiberon. Sévère répression.

15 août : [28 thermidor]: le FRANC devient l'unité monétaire de la France.

22 août : [5 fructidor]: la Convention adopte la Constitution de l'An III (acceptée par référendum le 23 septembre).

1er octobre : [9 vendémiaire an IV]: LA FRANCE ANNEXE LA BELGIQUE.

5 octobre : [13 vendémiaire]: Paris : insurrection royaliste réprimée par les troupes du Général Bonaparte.

25 octobre : [14 vendémiaire]: Paris : création de l'Institut de France pour remplacer les anciennes académies.

26 octobre : [4 brumaire]: la Convention se sépare; lui succède le DIRECTOIRE. 31 octobre : élection de cinq Directeurs : Barras, Sieyès, La Révellière-Lépeaux, Reubell, Letourneur.

Le Directoire (octobre 1795-novembre 1799)

26 décembre : Madame Royale, fille de Louis XVI, libérée de la prison du Temple.

1796

19 février : [30 pluviôse] : fin de l'émission des assignats.

2 mars : [12 ventôse] : BONAPARTE, GÉNÉRAL EN CHEF DE L'ARMÉE D'ITALIE qui entre en campagne le 11 avril.

29 mars : [9 germinal] : *Charette, le chef vendéen, est fusillé à Nantes.*

10 mai : [21 floréal] : Paris : arrestation des chefs de la Conspiration des Égaux dont Babeuf (guillotiné le 27 mai 1797).

15 mai : [26 floréal] : BONAPARTE ENTRE À MILAN.

24 août : [7 fructidor] : l'Armée française (Jourdan) est battue par les Autrichiens à Amberg (Allemagne).

9 septembre : [23 fructidor] : Paris : échec d'un soulèvement des partisans de Babeuf.

15-17 novembre an V : [25-27 brumaire] : Bataille d'*Arcole* (Italie), victoire de Bonaparte sur les Autrichiens.

1797

14 janvier : [25 nivôse] : Victoire de Bonaparte sur les Autrichiens à *Rivoli* (Italie).

9 juillet : [21 messidor] : En Italie, Bonaparte forme la RÉPUBLIQUE CISALPINE.

4 septembre : [18 fructidor] : Paris : COUP D'ÉTAT DU DIRECTOIRE CONTRE LES ROYALISTES VAINQUEURS AUX ÉLECTIONS.

17 octobre : [26 vendémiaire] : traité de paix de Campo Formio (Italie) signé entre la France et l'Autriche.

1798

11 février : [23 pluviôse] : l'Armée française (Berthier) entre à Rome (Proclamation de la République romaine le 15 février).

12 avril : [23 germinal] : constitution de la République Helvétique, alliée de la France.

11 mai : [22 floréal] : le DIRECTOIRE casse les élections trop favorables aux Jacobins (« coup d'État du 22 floréal »).

19 mai : [30 floréal] : DÉPART DE L'EXPÉDITION D'ÉGYPTE commandée par Bonaparte (arrive à Alexandrie le 1er juillet).

21 juillet : [3 thermidor] : victoire de Bonaparte sur les Mamelouks aux *Pyramides*.

1er août : [14 thermidor] : la flotte anglaise de Nelson détruit les navires français en rade d'Aboukir.

5 septembre : [19 fructidor] : vote de la loi Jourdan-Delbrel instaurant le SERVICE MILITAIRE OBLIGATOIRE.

17-21 septembre : [1er/5e jours complémentaires] : Paris : première exposition industrielle nationale au Champ de Mars.

29 décembre : [9 nivôse au VII] : *traité d'alliance contre la France signé par l'Angleterre, la Russie et Naples* (le 12 mars 1799, la France déclare la guerre à l'Autriche). Ainsi est formée la deuxième coalition (avec la Sardaigne et la Turquie) contre la France.

1799

23 janvier : [4 pluviôse] : l'armée française (Championnet) entre à Naples où est proclamée le 26 janvier la RÉPUBLIQUE NAPOLITAINE (ou parthénopéenne).

25 mars : [5 germinal] : défaite française (Jourdan) à Stokach (Allemagne) devant les Autrichiens (victorieux aussi en Italie, à Legnano, le 26 mars).

10 avril : [21 germinal] : le Pape Pie VI est emmené en France.

27 avril : [8 floréal] : l'Armée Française (Moreau) est battue par les Russes de Souvotov à Cassano (Italie).

18 juin : [30 prairial] : Paris : démission forcée de deux Directeurs (« coup d'état du 30 prairial »).

12 juillet : [24 messidor] : Paris : vote de la « loi des otages ».

19 juillet : [1er thermidor] : en Égypte, à Rosette, découverte de la pierre avec inscriptions qui permettra à Champollion de déchiffrer les hiéroglyphes en 1822.

15 août : [28 thermidor] : défaite à Novi (Italie) de l'armée française (Joubert, tué au combat) devant les Russes.

25-26 septembre : [3-4 vendémiaire an VIII] : à Zurich (Suisse), victoire française (Massena) sur les Autrichiens et les Russes.

6 octobre : [14 vendémiaire] : les Français (Brune) battent les Anglais et les Russes à Castricum (Hollande).

9 octobre : [17 vendémiaire] : *retour de Bonaparte en France* (en Égypte, Kleber, puis Menou commandent l'armée qui capitulera en 1801).

14 octobre : [22 vendémiaire] : les Chouans de Bourmont prennent Le Mans (perdu 3 jours plus tard ; d'autres tentatives royalistes échouent dans l'Ouest, en octobre).

9-10 novembre : [18-19 brumaire] : Paris, Saint Cloud : « COUP D'ÉTAT DU 19 BRUMAIRE ». Bonaparte prend le pouvoir. C'est la fin de la Révolution. Comme premier, puis unique consul (de 1799 à 1804) et comme empereur (de 1804 à 1814), Napoléon Bonaparte règnera sans partage pendant près de quinze années.

Chronologie établie par
Daniel-Jean JAY
et Hubert TISON

TABLE DES MATIERES

Crédit photographique

Toutes les photos sont issues de la photothèque du Groupe de la Cité, sauf:
Artephot: 7, 8. Bulloz: 76, 170/171. Jean-Loup Charmet: 59, 69. Dagli-Orti:
9, 71, 73, 86, 122, 129, 145. Marc Garanger: 43, 135. Giraudon: 22, 34, 42, 45,
55b, 62, 72, 74, 95h, 102, 107, 116, 133, 158b, 159. Lalance: 134, 137h, 139,
150. Musées Nationaux: 12, 78, 96/97, 103, 138. Jean-Didier Riesler: 70.
Tallandier: 2, 16, 17, 18, 19, 30, 38, 49b, 55h, 63, 67, 68, 88, 91, 100, 123, 126.

Achevé d'imprimer en Mars 1989
par Mohndruck / R.F.A.
pour le Compte de la Librairie Académique Perrin